D1177396

# BUITEN ZINNEN

# Buiten zinnen

Mel Wallis de Vries

the house of books

*Voor Michel*
*Mijn liefde is oneindig veel groter dan mijn woordenschat: ik hou van jou*

Derde druk, januari 2008



*Vormgeving omslag*
Marlies Visser
*Foto omslag*
Getty Images
*Foto auteur*
Mariska Budding
*Opmaak binnenwerk*
ZetSpiegel, Best

ISBN 978 90 443 1900 2
NUR 284/285
D/2007/8899/223

www.melwallisdevries.nl
www.thehouseofbooks.com

# Dinsdag 17 oktober

De kerk ruikt naar natte jassen, alles is vochtig en klam. De regen slaat tegen de hoge ramen en maakt deze dag nog triester dan hij is. Er zijn zeker tweehonderd mensen naar Karlijns begrafenis gekomen. Ik schuif ongemakkelijk over de harde houten kerkbank. De band van mijn zwarte broek snijdt in mijn middel en mijn grijze vest kriebelt in mijn nek. Ik zie er uit zoals ik me voel: onopvallend, kleurloos en somber.

Mijn ogen dwalen over de mensenmenigte. Op de eerste rij zit Karlijns familie. Ook haar beste vriendinnen hebben daar een plekje gevonden. Ze houden elkaars hand vast en huilen. Toen mijn opa vier jaar geleden stierf, zat ik ook op de voorste rij. Ik herinner me nog goed dat ik niet durfde te huilen, omdat iedereen het zou zien. Alle ogen waren op mij en mijn ouders gericht en ik voelde me heel opgelaten. Pas na de begrafenis, toen ik thuis was, liet ik de tranen komen.

Nu zit ik, samen met mijn moeder, op de achterste rij en ik voel me nog veel ongemakkelijker dan met mijn opa's uitvaart. De laatste bank is een soort niemandsland; een plek voor mensen die te laat komen; een verzamelplaats voor vage kennissen. Het verbaast me dat er geen bordje hangt met de tekst: *Fijn dat u er bent, maar het had niet gehoeven*.

Vijf jaar geleden zou ik vooraan zijn gaan zitten. Karlijn was mijn beste vriendin, vanaf de dag dat ze mijn buurmeisje werd. Ik zie ons nog spelen in het opblaasbadje in onze tuin. Of bij elkaar logeren. We droegen dezelfde kleren, gingen samen op vakantie, zaten op jazzballet. We waren onafscheidelijk. En toen zijn we elkaar kwijtgeraakt.
Naast me haalt een vrouw haar neus op. Ze huilt. Mijn oogleden zijn zwaar en mijn ogen branden, maar ik huil niet. Het voelt alsof ik ben verdwaald in mijn eigen verdriet: ik weet niet meer waar ik om moet huilen. Toen mijn moeder vertelde dat Karlijn dood was, heb ik niks gezegd. Ik denk dat ik zelfs verder ben gegaan met mijn huiswerk maken. Ik kon het gewoon niet geloven. Pas uren later kwam de klap.
Het is een lange dienst. De dominee kijkt ernstig en leest een stuk uit de Bijbel voor. Ik luister maar half en leun tegen mijn moeder aan. Ze knijpt stevig in mijn hand. De dominee praat nu over de dood. En het noodlot. En God die bij haar is. Zijn stem heeft een bedroefde ondertoon, alsof hij echt om Karlijn rouwt, maar ik denk aan wat hij straks na deze dienst doet. Een kopje koffie drinken, de krant lezen, de voetbaluitslagen opzoeken? Over een paar uur – als ze onder de grond ligt – is hij haar waarschijnlijk alweer vergeten. Ik onderdruk de neiging om hysterisch te gaan lachen.
Dan hoor ik hem zeggen: 'Ze heeft rust gevonden.'
*Het spijt me zo*, denk ik ineens. *Wat heb ik gedaan?*
Ik heb pas door dat de dienst is afgelopen als de kerk zich met gefluister en geschuifel vult. De vrouw naast me staat op. Ze ruikt naar zweet en ik ben bang dat ik moet overgeven. Mijn moeder helpt me omhoog en slaat

haar armen stevig om mijn middel. We wachten terwijl zes mannen in zwarte pakken de kist door het gangpad naar buiten dragen. Karlijns familie loopt er zwijgend achteraan. Ik kijk naar haar moeder; ze heeft een gekwelde en verloren uitdrukking op haar gezicht. En dan kruisen onze blikken elkaar. Ik verstijf en weet niet wat ik moet doen. Glimlachen? Knikken? Zwaaien? Maar ze staart me aan alsof ze me nog nooit heeft gezien.
De rijen lopen van voor naar achter leeg. De stoet wordt steeds langer. Gezichten trekken voorbij. Ik zie klasgenoten, leraren, buurtgenoten. Sommigen waren goed bevriend met haar, anderen kenden haar slechts oppervlakkig. Maar ze kijken allemaal hetzelfde: intens geschokt en verdrietig.
Ik weet me geen raad met mijn houding en staar naar de grond. Soms denk ik dat Karlijn nog steeds mijn beste vriendin is. Op een bepaalde manier is dat ook zo, want haar plek is nooit door iemand anders ingenomen. Zij heeft wel nieuwe beste vriendinnen gekregen. Haar wereld draaide door, terwijl die van mij bleef stilstaan. En toen ze weer mijn wereld binnenstapte, heb ik haar niet meer toegelaten.
Ik heb het opeens verschrikkelijk warm. En meteen daarna heb ik het koud. Ik huiver.
'Eva, gaat het?' vraagt mijn moeder bezorgd.
Nee, het gaat helemaal niet. 'Ik heb een beetje hoofdpijn,' zeg ik. 'Gelukkig kunnen we naar buiten.'
Mijn moeder en ik verlaten als laatsten de kerk.

# Zondag 13 augustus

Ik kan gewoon niet geloven wat er is gebeurd. We kwamen vanmiddag rond een uur of twee terug van ons vakantieadres in Zuid-Frankrijk. We hadden de hele nacht en ochtend doorgereden, en ik was moe, stijf en gaar. Het was mijn moeder weer gelukt om de auto tot de nok toe vol te proppen met bagage. Maar goed, mama's inpakwoede is een verhaal apart.
Mijn vader parkeerde de auto voor ons huis en we liepen naar de voordeur. Toen de deur opengingen, zagen we meteen dat er iets mis was. Overal lagen spullen, papieren, en kleren. We keken elkaar met open mond aan en renden naar de huiskamer. Het was net oorlog. Alle meubels waren verschoven, de boekenkast was omgevallen, fotolijstjes waren van de muur gerukt.
'O, mijn god,' zei pap. Hij keek helemaal ontzet en in de war. 'Er is ingebroken.'
Mama was in alle staten. Ze ijsbeerde tussen de troep op de grond en jammerde: 'Ze hebben de dvd-speler meegenomen. En de kristallen vaas van oma. Kijk, ze hebben een keukenraam ingeslagen. Wat erg, o, wat verschrikkelijk erg.'
Ik was bang dat ze een zenuwinzinking kreeg. Toen dacht ik aan mijn eigen spullen. Ik rende de trap op, naar mijn

kamer, en gooide de deur open. Alles zag er precies zo uit als voor de vakantie. Toch wist ik meteen dat de inbrekers hier ook waren geweest. Grappig eigenlijk, dat je sommige dingen weet, zonder dat er bewijs voor is. Maar ik voelde gewoon dat de dieven ook in mijn kamer hadden rondgeneusd. Was het de manier waarop mijn dekbed nu lag? Of rook mijn kamer misschien anders? Waren de boeken op mijn bureau een paar centimeter verplaatst? Wat het ook was, ik wist het zeker.
Ik opende wantrouwig al mijn kasten om te kijken of er iets miste. Of nog erger: dat de inbrekers wat hadden achtergelaten. Ik zocht als een bezetene naar sporen. Niets. Geen vreemde haren op mijn kussensloop, geen modderige voetstappen onder mijn raam, geen vingerafdrukken op het stoffige scherm van mijn oude computer. Waarschijnlijk hadden de dieven mijn spullen niet de moeite van het stelen waard gevonden. Toch was er wel iets veranderd. Deze kamer was altijd mijn domein, helemaal van mij, maar nu voelde ik me er onprettig, en zelfs een beetje onveilig. Ik had het gevoel dat ik niet alleen in mijn slaapkamer was, hoewel ik wist dat de dieven allang waren verdwenen. Gatver, wat een shit einde van de vakantie.
Weer beneden vond ik pap en mam op de bank. Ze keken dieptreurig. Ik ging naast mijn vader zitten en legde mijn hoofd op zijn schouder. Hij sloeg een arm om me heen. 'Karlijn, lieverd,' fluisterde hij, 'het komt wel weer goed. Ze hebben niet veel spullen meegenomen. En de woonkamer was toch aan een opknapbeurt toe.'
Mama schudde haar hoofd zo hard heen en weer dat ik medelijden kreeg met haar nek. 'Hoe kom je daar nu bij? De woonkamer was helemaal niet aan een opknapbeurt

toe. Het kost me dagen om alles weer op te ruimen.'
Het gevaar van een zenuwinzinking was blijkbaar nog niet geweken.
De bel van de voordeur ging.
'Ah, daar zal je hem hebben,' zei papa.
Bezoek? Nu? Terwijl ons huis één grote, leeggeroofde puinhoop was? Waarschijnlijk was de verwarring van mijn gezicht af te lezen, want mijn moeder zei sussend: 'Je vader heeft de politie gebeld. Het duurt niet lang.'
Ze snelde naar de hal, met papa in haar kielzog. Even later kwamen mijn ouders binnen met een man. Hij droeg een echt politiepak, met pet, en op zijn bovenlip zat een grijs snorretje.
'Dit is agent De Geus,' zei mijn moeder. En tegen hem: 'Wilt u koffie?'
'Nee, dank u.' Hij pakte een notitieblokje uit zijn borstzak. 'Laten we maar meteen beginnen. Wat is er meegenomen?'
Mijn ouders beantwoordden al zijn vragen en lieten hem daarna het kapotgeslagen raampje in de keuken zien.
Agent De Geus dacht lang na en zei toen: 'Zo zijn de inbrekers waarschijnlijk binnengekomen.'
Alsof we dat nog niet wisten! Het was net een slechte aflevering van Baantjer. Hij stelde mij ook wat vragen. Ik probeerde serieus en aangeslagen te klinken, en daar hoefde ik niet erg mijn best voor te doen. Ik vertelde hem dat er niks uit mijn slaapkamer was gestolen. En over mijn vermoeden dat de dieven er wel waren geweest. Maar dat maakte blijkbaar geen indruk op hem, want hij klapte zijn notitieblokje dicht en vroeg aan mijn moeder: 'Had u de koffie klaarstaan? Ik zou nu best een bakje lusten.'
Ik vluchtte naar mijn kamer met een vaag excuus. Die

agent vond mama's koffie waarschijnlijk erg lekker, want pas na een half uur hoorde ik stemmen in de gang en ging de voordeur open en dicht. En toen werd het stil. Het is nu zelfs zo stil in mijn kamer dat ik de vogels onder de dakpannen kan horen. Een zacht, schrapend geluid dat me aan voetstappen op het dak doet denken. Hoe paranoïde ben ik deze middag geworden?
De inbox van mijn telefoon zit vol sms'jes. Julia, Puck, Noor; ze willen weten of ik weer thuis ben en hoe mijn vakantie is geweest. Maar ik ben niet in de stemming om berichtjes terug te sturen. Ik heb net wel Nout gebeld. Hij klonk blij en verrast. Niet gewoon verrast, maar uitzinnig verrast. Hij had me morgen pas terug verwacht. Ik vertelde hem dat ik toch echt thuis was en dat er was ingebroken. Nout reageerde lief en bezorgd om me daarna te vertellen dat hij niet lang kon praten. Ik belde op een slecht moment, want hij was aan het voetballen. Hij zei dat hij me straks zou terugbellen. En dat hij van me hield. Dat was het signaal dat ik hoorde te zeggen: 'Ik ook van jou.' Maar ik zei snel: 'Dat is goed. Spreek je later.'
De vakantie was voorbij. Ik was terug.

# Maandag 14 augustus

Mijn goede humeur heeft precies twee weken, tweeëntwintig uur en twaalf minuten geduurd. Ik werd vanochtend met een enorme after-vakantiedip wakker. Kan nog steeds niet geloven dat we weer thuis zijn. Ik begon er net aan te wennen dat ik kon uitslapen en alle tijd van de wereld had. Ik voelde me uitgerust, vrolijk en zeer opgeruimd. Maar dat gevoel is me nu al bijna weer ontglipt.
Heb denk ik niet verteld dat ik voor de vakantie opnieuw zo'n inzinking had. Die stomme buien overvallen me de laatste tijd steeds vaker. Ik haat die mopperende, grommende chaos in mijn hoofd. Kon ik maar begrijpen waarom ik me af en toe zo down voel. Ik ben zeventien, maar ik voel me verdorie soms net een vermoeide stakkerd van zeventig. Ik moet de boel van binnen nodig eens gaan reorganiseren.
O ja, en dit kwam vanochtend ook nog in me op: volgende week begint school. Wie heeft er ooit bedacht dat je eindexamen moet doen? Ik krijg het Spaans benauwd bij het idee. Misschien zak ik wel... God, dat zou echt een grote teleurstelling voor mijn moeder zijn. Ik denk dat mama de data van mijn examens al uit haar hoofd heeft geleerd. Ik kan het niet uitstaan als ze zich zo met mijn

school bemoeit. En ze doet het altijd. Waarom heb ik geen broertjes of zusjes? Ik bedoel, dan had mijn moeder niet zo op mij hoeven letten. Maar laat ik het positief bekijken: nog een jaar ploeteren, en dan begint het echte leven.
Rond lunchtijd ben ik naar Nout gegaan. Ergens in mijn achterhoofd had ik de hoop dat alles weer goed zou zijn als ik hem zag. Niet dus. Hij deed de deur open met zijn warrige donkerbruine krullen en bruine ogen (aantrekkelijk), gekleed in een spijkerbroek en een wit, linnen overhemd (goede smaak) en zoende me (hartstochtelijk). En ik? Ik stond er bij als een zoutzak en voelde niets. Nout had niks door, tenminste, dat hoopte ik.
We gingen naar zijn slaapkamer. Nout duwde me op het bed en begon me weer te zoenen. Ik murmelde dat ik liever wilde praten omdat ik hem zo lang niet had gezien. O, wat kan ik makkelijk liegen. Uiteindelijk praatte ik in zijn armen over de vakantie en de inbraak, terwijl Nout kusjes op mijn haren gaf en in mijn oor fluisterde dat hij me verschrikkelijk had gemist. Ik voelde me zo schuldig.
Ik ken Nout zeven maanden, en de waarheid is dat ik niet meer verliefd ben. Dat ligt meer aan mij dan aan hem, want hij is echt een geweldige jongen. Voor de vakantie begreep ik het opeens: ik voel een grote genegenheid voor hem, maar het is geen liefde. Ik moet het Nout vertellen. Maar die gedachte veroorzaakt een acute paniekaanval. Ik ben te gehecht aan zijn aanwezigheid in mijn leven en ik kan er nu nog geen afstand van doen. Is dat egoïstisch? Of misschien gemakzuchtig? Ik voel me er in ieder geval heel beroerd over. Straks ontplof ik nog van al mijn gepieker.

Na Nout ben ik als een speer naar De Toog gefietst. Mijn slechte eigenschap had weer toegeslagen: ik was de tijd helemaal vergeten. Ik was te laat, veel te laat voor de werkbespreking, en kwam hijgend en bezweet binnen. Iedereen zat aan de bar en groette me, behalve mijn baas Daan, die nors een andere kant op keek. Ik moest naar hem toelopen, voor hem gaan staan en zeggen: 'Sorry dat ik zo laat ben. Heel stom. Het spijt me echt vreselijk.'
Pas toen had ik zijn aandacht.
'Zo,' zei Daan snerend. 'Wat leuk om jou hier ook weer eens te zien.' Hij duwde een stuk papier in mijn handen. 'Hier is het nieuwe werkrooster dat we net hebben ingedeeld. Het gaat volgende week in. Geen discussie meer over mogelijk. En de volgende keer dat je te laat komt, zoek je maar een ander baantje.' Hij draaide zijn rug naar me toe.
Ik kon wel door de grond zakken en bekeek balend het nieuwe rooster. Shit, ik had alle rotbardiensten gekregen. Maandagavond, dinsdagavond en woensdagavond. Dan zijn er zo weinig klanten in De Toog dat ik een vette fooi wel kan vergeten.
Zuchtend ging ik aan de bar zitten, zo ver mogelijk bij Daan vandaan. Iemand legde een hand op mijn arm en zei: 'Ik heb dezelfde diensten gekregen. Dat wordt vast gezellig. En ik kom ook altijd te laat. Het schijnt dat mensen die te laat komen bijzonder intelligent en erg innemend zijn.'
Ik draaide me om en staarde verbaasd in een onbekend gezicht met blauwe ogen, kort blond haar en een brede glimlach.
Het gezicht knipoogde en zei: 'Hai, ik ben Steven. En nieuw hier. Ik ben vorige maand naar Amsterdam verhuisd en ik

had dringend een baantje nodig. Gelukkig kon ik bij dit café meteen beginnen, alhoewel die Daan me een beetje een sjaggi figuur lijkt. Jij bent toch Karlijn?'
'Ja,' antwoordde ik. 'Leuk je te ontmoeten. En welkom in De Grote Boze Toog.'
Steven moest lachen. 'Wil je wat drinken? Ik was net van plan om iets te halen.'
Steven haalde twee colaatjes en we praatten wat. Ik wilde niet speciaal met hem praten, maar zo kon Daan me tenminste niet lastigvallen. Steven was best een aardige jongen. Hij bleek uit Rotterdam te komen. Ik vroeg of hij Schiedam een beetje kende, want daar had ik vroeger met mijn ouders gewoond, maar daar was hij nog nooit geweest. 'Je mist niks,' zei ik. 'Schiedam is vreselijk saai. Of je moet van windmolens houden, want daar is de stad mee volgebouwd.' Steven vertelde dat hij naar Amsterdam was gekomen om bedrijfskunde te studeren. We babbelden nog wat over de stad en de leukste plekken om uit te gaan, maar toen ik zag dat Daan wegging, stond ik op.
Samenvatting van de dag tot nu toe: zeer matig.

# Dinsdag 15 augustus

Ik moet iets bizars kwijt. Gisteravond ging ik vroeg naar bed. Ik was erg moe en sloom, en ik had zelfs geen zin in mijn favoriete film Notting Hill, die op tv was. Waarschijnlijk was ik geveld door de hitte. Er lijkt geen einde te komen aan die waanzinnig hete dagen en benauwde nachten. Maar goed, ik moet niet klagen, want deze eindeloze hittegolf is nog altijd veel beter dan een zomer met alleen maar regen.

Ik deed het raam van mijn slaapkamer wijd open, gooide het dekbed van mijn bed, zette mijn miniventilator op de hoogste stand en ging op mijn rug liggen. Gelukkig viel ik snel in slaap.

Midden in de nacht schrok ik wakker. Een afschuwelijk moment lang wist ik niet waar ik was. Het was donker in mijn kamer en doodstil. Mijn hart bonkte als een op hol geslagen stoomtrein. Toen wist ik het: ik had die droom weer gehad. Al jaren heb ik dezelfde nachtmerrie. Soms heb ik hem maanden niet, soms wel een paar keer per week.

Ik droom altijd dat ik in mijn bed lig. Het is aardedonker, maar toch kan ik wel dingen zien, zoals mijn nachtkastje en de poster van Brad Pitt aan de muur. Ik ben niet alleen, want ik hoor iemand ademen in een hoekje van

mijn kamer. Aan de zware ademhaling te horen is het een man. Ik ben doodsbang en verroer me niet. Ik heb geen idee wie hij is, maar ergens voel ik dat deze man niet veel goeds in de zin heeft. Dat weet ik zeker.
En dan gebeurt er iets. De ademhaling verplaatst zich en komt heel langzaam dichterbij. Ik zie een schim door mijn kamer sluipen, recht op me af. 'Help,' probeer ik te zeggen, maar mijn mond wil niet bewegen. De ademhaling is opeens hoog boven me. Ik draai mijn hoofd opzij en zie twee benen naast mijn bed staan. Mijn ogen proberen omhoog te kijken, naar zijn gezicht, maar dat lukt niet. De man steekt een arm naar me uit. Hij strijkt met een ijskoude vinger over mijn voorhoofd, langs mijn wangen, naar mijn nek. Van heel diep komt de gedachte: vlucht. Ik probeer overeind te komen. Langzaam, met grote moeite, beweeg ik een been. Maar dan sluit zijn hand zich om mijn nek. Ik gil, de man lacht en op dat moment word ik altijd wakker.
Zo gaat mijn droom al jaren. Het is een zeer onprettige, maar zeer voorspelbare ervaring. Vannacht verliep mijn droom anders. Of eigenlijk: het voelde anders. Het voelde dit keer alsof er écht iemand met een vinger over mijn gezicht streek! Toen ik wakker schrok, tintelde mijn wang nog van de aanraking. Ik knipte mijn bedlampje aan en alle angsten van de hele wereld spookten vijf minuten lang door mijn hoofd.
Ik wachtte op een geluid, of een schim die door mijn slaapkamer sloop, maar er gebeurde niks. Natuurlijk niet. Ik was mezelf gek aan het maken, wist ik. Plotseling hoorde ik een zacht geschuifel buiten. Mijn hart begon weer te racen. Ik sprong uit bed en rende naar het raam. Ik gluurde door een kiertje van de gordijnen. De straat

was donker en verlaten. Ik hield de straat nog een paar minuten in de gaten, maar er was echt niemand.
Ik kroop terug in bed en probeerde in slaap te vallen. Het had geen zin. Ik kon niet meer slapen. Elk piepje, kraakje of zuchtje van het huis klonk verdacht. Om zes uur zag ik het buiten lichter worden. Ik hoorde de eerste auto's door de straat rijden en de vuilniswagen langskomen. Om half acht ging ik maar douchen. Ik had een enorme koppijn en alles kostte me heel veel moeite. Interessant, dit verband tussen slaapgebrek en mijn stemmingen.
Voelde me iets beter toen Puck rond een uurtje of drie belde of ik ook naar het terras van Vertigo in het Vondelpark kwam. Werd uiteindelijk een supergezellige middag met Puck, Noor en Julia. Twee flessen rosé opgedronken. Julia had tijdens de vakantie met een Italiaanse jongen gezoend. Nu belt hij haar steeds om te zeggen dat hij langs wil komen, terwijl ze niet verliefd op hem is, erg grappig. Noor en Puck raakten niet uitgepraat over hun vakantie in Spanje. Ze hadden twee weken lang gefeest en in de zon gelegen. Mijn vakantieverhalen waren een stuk minder spannend. Dit was echt het laatste jaar dat ik met mijn ouders ben meegegaan. Puck wilde weten of ik Nout al had gezien. Heb in het kort over mijn twijfels verteld. Iedereen was het erover eens dat ik niks moest overhaasten. 'Anders zijn we straks alle vier single,' zei Noor lachend. We proostten op de liefde, het eindexamen, en onze vriendschap.
Zo in de zon was de herinnering aan mijn droom bijna verdwenen. Bijna, want nu ik alleen in mijn stille, lege kamer zit, en het buiten schemerig is geworden, moet ik er opeens weer aan denken. Jakkes, ik heb geen zin om

te gaan slapen. Het is half tien. Wie kan ik nog bellen? Nout? Puck?

Hmmm, blijkbaar ben ik de enige levende ziel op deze wereld die vanavond niks te doen heeft. Nout nam niet op, Puck was in gesprek, Julia ook, en Noors telefoon stond uit want ik kreeg direct haar antwoordapparaat. Is er dan echt niemand die ik kan bereiken? Ik denk opeens aan Eva. Het is zo lang geleden dat ik haar heb gesproken, zeker een paar maanden. En dat was een kort, wat ongemakkelijk gesprekje op straat toen we elkaar toevallig tegenkwamen. Ik heb geen idee wat ze deze zomervakantie heeft gedaan. Zal ik haar bellen en vragen of ik even mag langskomen? Waarom ook niet.

# Zaterdag 21 oktober

Ik herinner me nog heel goed dat telefoontje. Het was een dinsdagavond in augustus, iets na half tien, en ik was op mijn kamer een boek aan het lezen toen mijn mobiele telefoon ging. Gedachteloos nam ik op: 'Ja?'
'Hai Eva,' zei haar stem die ik onmiddellijk herkende. 'Met Karlijn.'
Ik was te verbouwereerd om iets terug te zeggen. Karlijn belde mij? Dat had ik niet verwacht. Vroeger belden we elkaar dagelijks, maar de laatste jaren kon ik haar telefoontjes op één hand tellen, en de afgelopen maanden had ze me nooit meer gebeld.
'Hallo?' zei Karlijn. 'Eva? Ben je er nog? Ik hoor je niet meer.'
'Eh... ja,' antwoordde ik wat kortaf. 'Wat is er?'
'Luister, vind je het gezellig als ik nu even langskom?' zei ze, alsof het de normaalste zaak van de wereld was.
Er viel weer een stilte omdat ik niks kon bedenken om te zeggen. Het lag op mijn lippen om Karlijn te vertellen dat ik haar niet meer wilde zien, maar dan had ik moeten uitleggen waarom. En dat wilde ik niet. Dus zei ik maar: 'Oké, ik ben thuis. Zie je zo.'
Karlijn was er binnen twee minuten. Ze droeg een strak spijkerrokje met een wit topje, en ze zag er geweldig uit,

zoals altijd. Ik zette thee en we gingen tegenover elkaar zitten in mijn kamer. We zaten daar zonder iets te zeggen. Het was een ongemakkelijke stilte. Een stilte die pijnlijk duidelijk maakte dat we elkaar te lang niet hadden gesproken. Ik keek Karlijn aan, niet van plan om als eerste iets te zeggen.
Ze schraapte haar keel. 'Hoe gaat het?' vroeg ze.
Ik antwoordde dat het heel goed met me ging. Karlijn knikte en vertelde dat ze net terug was van vakantie. We praatten wat over de zomervakantie en toen liep het gesprek dood.
'Wil je nog thee?' vroeg ik.
'Nee, dank je.'
Ik begon me af te vragen waarom ze hier in godsnaam was, toen ze opeens zei: 'Weet je, Eva, ik heb vannacht zo gek gedroomd. Over een man die me aanraakte. Heb jij wel eens een droom gehad die net echt leek?' Ze haalde een hand door haar lange, bruine haren.
Even dacht ik dat ze een grapje maakte. Ik staarde naar haar gezicht. Het stond serieus.
'Ja, zo vaak,' antwoordde ik. 'Vooral toen ik nog een kleuter was. Doe niet zo dom.' Ik schrok van mijn bitse antwoord. Nooit eerder was ik zo bot tegen Karlijn uitgevallen. Waarschijnlijk was ik aardiger geweest als ze eerst had gezegd dat ze me miste. Maar dat was niet het geval. Ze was hier gekomen om over een droom te praten! Blijkbaar was ik alleen daar nog goed genoeg voor. Ik was opeens verschrikkelijk moe. En teleurgesteld.
Karlijn schrok ook van mijn reactie. Tenminste, zo vatte ik haar zwijgen op.
'Je hebt me in de steek gelaten,' zei ik bijna. Maar in

plaats daarvan zei ik zacht: 'Ik ben moe. Misschien is het beter als je nu weggaat.'
Er verscheen een gekwetstheid in haar blik die ik nog nooit eerder had gezien. Ze bleef me nog een halve minuut of zo aankijken en toen stond ze op. 'Oké, ik begrijp het,' zei ze slechts.
Ze begreep het helemaal niet. Zeg iets, zei ik tegen mezelf. Zeg dat je haar hebt gemist. Zeg dat je niets liever wilt dan haar vriendin weer zijn. Maar ik hield mijn mond stijf dicht. Ik kneep zo hard in mijn handen dat het pijn deed. En toen was ze weg.
Dit is de laatste keer dat ik haar heb gesproken. Anderhalve maand later stond mijn moeder in mijn kamer om te vertellen dat Karlijn een ongeluk had gehad. Een busje had haar aangereden toen ze door rood fietste. Karlijn scheen erg in de war te zijn geweest, vertelde mijn moeder. Waarschijnlijk had ze niet goed opgelet. Ze was op slag dood.
Het is nog maar tien dagen geleden dat ik dit heb gehoord. En ik droom al tien nachten van Karlijn. Ik heb nachtmerries over ons laatste gesprek. De hele tijd zie ik die gekwetste blik in haar ogen. Dat beeld achtervolgt me. En overdag denk ik soms een glimp van Karlijn te zien, als ik door de stad fiets of op school rondloop. Als ik beter kijk, verdwijnt haar gezicht in de mensenmenigte. Natuurlijk, want ze is er niet, en ze zal er ook nooit meer zijn. Het is te laat om spijt te hebben.
Ik leg Karlijns dagboek opzij. Het kwam vanmiddag met de post, samen met de zes andere schriften die ze tijdens de lagere en middelbare school heeft volgeschreven. In het postpakket zat een kort, handgeschreven briefje van Karlijns moeder.

*Beste Eva,*

*Je was Karlijns meest dierbare jeugdvriendin. Ik vind het jammer dat jullie elkaar de laatste jaren minder vaak zagen. Maar Karlijn was altijd erg op je gesteld. Je mag haar dagboeken houden als herinnering aan jullie vriendschap. Ik wens je het allerbeste.*

*Suzette*

Ik heb de dagboeken met iets van schrik uit het pakketje gehaald en op mijn bureau gelegd. Eén voor één gingen de schriften door mijn handen. Ik was helemaal niet van plan om haar dagboeken te gaan lezen. Eigenlijk wilde ik ze naar haar moeder terugsturen. Wat moest ík ermee? Haar moeder had een grote vergissing gemaakt door ze aan mij te geven.
Zeker een half uur heb ik naar haar dagboeken gestaard. Ik dacht eraan dat Karlijn nog leefde toen ze in deze schriften schreef. Dat ze waarschijnlijk ook onze vriendschap had beschreven. Deze gedachte overviel me en ik sloeg een willekeurig schrift open. Karlijns nette handschrift krulde over het papier. Ik had niet hoeven lezen. Maar ik deed het toch. En ik wist dat mijn kans om de dagboeken terug te sturen was verkeken. Ik hoorde haar stem in de zinnen die ik las, ik zag haar gezichtsuitdrukking op elke bladzijde die ik omsloeg: ik kon niet meer stoppen met lezen.
Toevallig had ik haar meest recente dagboek gepakt. Ik las over de inbraak, haar sombere buien en haar twijfels over Nout. Het was pijnlijk en verwarrend om haar gevoelens te lezen die voor mij zo onbekend waren. Toen

ik bij het stukje kwam waarin ze mij ging bellen, ben ik gestopt. Mijn hoofd doet pijn, alleen al bij de gedachte aan die avond. Waar maak ik me eigenlijk zo druk om? We zijn al jaren geen vriendinnen meer. En dat is niet mijn schuld.
Karlijn werd mijn beste vriendin op de dag dat ze naast ons kwam wonen. Zij was acht en ik was zeven en de zomervakantie was net begonnen. Ik had weinig vriendinnen en Karlijn kende nog niemand in Amsterdam, dus we brachten alle dagen van de vakantie samen door. We speelden in het Vondelpark, gingen naar het Amsterdamse Bos, en we konden uren kletsen en giechelen over van alles en nog wat.
Toen de school weer begon, bleven we onafscheidelijk. Karlijn zat een groep hoger, maar na school liepen we altijd samen naar huis, hand in hand. Meestal wist ik al hoe Karlijn zich voelde voordat ze het me vertelde. We hadden een soort zintuig ontwikkeld waarmee we elkaar woordeloos begrepen. Toch waren er ook veel verschillen tussen ons. Karlijn was het meisje dat ik altijd had willen zijn maar nooit zou worden. Ze was zo zelfverzekerd en spontaan. Ik was veel rustiger en verlegen. En Karlijn was op de lagere school al een schoonheid met haar tengere bouw, felblauwe ogen en lange, bruine haren. Ik droeg een beugel, was mollig en mijn rossige haar was jongensachtig kortgeknipt. Maar dat alles zat onze vriendschap niet in de weg, integendeel, we leken elkaar juist heel goed aan te vullen.
De zomer dat Karlijn twaalf werd, veranderde alles. Karlijn was een jaar ouder en ging in augustus naar de middelbare school. Ik bleef alleen achter op onze lagere school. Nooit zal ik vergeten wat er die middag na

de eerste schooldag gebeurde. Ik was eerder thuis en wachtte in de tuin op Karlijn. Ik was zo benieuwd hoe haar nieuwe school was. Op het moment dat Karlijn onze straat in reed, zag ik dat er een ander meisje naast haar fietste. Lang, slank en net zo mooi als Karlijn. Ik hoorde ze samen lachen en voelde me heel klein worden. In eerste instantie leek er niks aan de hand. Karlijn begroette me vrolijk en vertelde enthousiast dat haar eerste schooldag geweldig was geweest. Het meisje, dat Puck heette, zat bij haar in de klas. Maar toen ze mij voorstelde als haar buurmeisje en niet als haar beste vriendin, wist ik dat er die dag iets wezenlijks was veranderd. Ze vroeg niet of ik met haar en Puck mee naar binnen ging. Ik liep naar huis en kon alleen maar denken aan dat andere meisje dat nu waarschijnlijk op mijn plek in Karlijns slaapkamer zat.
Dat jaar zocht Karlijn me steeds minder vaak op. En de momenten dat we elkaar spraken, waren anders. Net alsof zij in een wereld was gestapt die ik niet begreep. Ze begon andere kleren te dragen, rookte opeens en had het over jongens die ik niet kende. Ik hoopte dat alles weer normaal zou worden als ik ook naar het Vossius Gymnasium zou gaan. Maar dat gebeurde niet. Het jaar daarop werd ik een onzekere brugklasser, terwijl Karlijn bij het populaire groepje op school hoorde. Ze deed nooit onaardig tegen me, maar het verschil tussen ons was simpelweg te groot geworden.
Een tijdlang voelde ik mezelf gek worden van eenzaamheid, maar dat heb ik haar nooit verteld omdat ik bang was dat Karlijn me dan zielig en suf zou vinden. Uiteindelijk heb ik maar vriendschap gesloten met Hanna en Marjolein, twee meisjes uit mijn klas die ook wat bui-

ten de boot vielen. Vijf jaar lang heb ik elke dag gehoopt dat Karlijn weer mijn vriendin werd. Ik was eerst wanhopig. Toen verdrietig en gekwetst. En uiteindelijk kwam de boosheid. Dit gevoel overheerste toen Karlijn die avond in augustus langskwam.

Waarschijnlijk heeft Karlijn uitvoerig mijn botte reactie in haar dagboek beschreven. Ik kan het niet opbrengen om daarover te lezen. Dus blader ik snel een paar pagina's verder.

# Maandag 28 augustus

Dit was echt een rotdag. Al vanaf het begin. Aan het ontbijt zat mijn moeder te zaniken over mijn toetsweek in oktober. Of ik al aan het leren was, vroeg ze. Ik dacht dat ik gek werd: school is verdorie pas een week bezig. Waarom, wáárom doet mijn moeder dit toch altijd? Zo geeft ze me het gevoel dat ik zonder haar hulp niks kan. Werkte mama maar gewoon, net zoals alle andere moeders. Dan was ze minder vaak thuis. En hoefde ze mij niet continu lastig te vallen.
Papa was tijdens het ontbijt wat afwezig. Meestal neemt hij het voor me op als mijn moeder weer zo'n bemoeizuchtige bui heeft. Maar toen mama vroeg of hij het met haar eens was, zei papa ja. Of beter gezegd: hij zei geen ja, maar knikte alleen met zijn hoofd. Mijn vader maakt zich volgens mij veel zorgen over zijn bedrijf. De laatste maanden krijgt hij weinig opdrachten. Papa zegt wel eens: 'Mensen kopen liever een goedkope kast bij de Ikea, dan een duurder ontwerp van mij. Er valt geen geld meer te verdienen met meubels maken.' Ik hoop niet dat hij weer zo somber wordt als begin dit jaar. En aan de bezorgde blik in mijn moeders ogen zag ik dat ze hetzelfde dacht.
Het was kwart over acht toen ik buiten bij mijn fiets

stond en erachter kwam dat ik mijn mobiel was vergeten. Ik rende naar binnen en zocht in mijn kamer, mijn tassen, op mijn bureau. Uiteindelijk vond ik mijn telefoon onder mijn kussen. Grrr. Natuurlijk lag hij daar, want ik had gisteravond in bed mijn voicemail afgeluisterd. Nout had me meerdere malen gebeld, maar ik had hem mijn voicemail laten inspreken. Hij had twee berichten achtergelaten. De eerste keer zei hij dat hij me miste. En of ik hem terug wilde bellen. Bij het tweede berichtje klonk hij wat kortaf en sprak hij in dat hij ging slapen en me morgen op school zou zien.
Ik voel me ontzettend schuldig. Nout is altijd zo lief voor me, maar het is net alsof ik me met een ruk van hem heb losgetrokken na de vakantie. Elke dag maak ik de afstand tussen ons groter. Zijn liefde voor mij ervaar ik nu als beklemmend, zijn rust en kalmte beginnen me te irriteren, en ik vind plotseling zijn humor saai en kinderachtig. Er zijn soms momenten dat ik denk: dit is alleen een stemming van me, het gaat wel weer over. Gisteravond in bed wist ik opeens zeker dat ik het uit moest maken. Ik had me van alles voorgenomen om tegen hem te zeggen. Maar vanochtend was mijn gevoel zo dat ik het helemaal niet durfde. Waarom kan ik niet zonder Nout leven, maar wil ik ook niet meer met hem zijn? Er moet ergens een idiote kronkel in mijn hersenen zitten. De vakantie is nog maar twee weken geleden, en ik ben nu al zo moe van mijn getob.
Terug naar vanochtend. Vijf minuten voor half negen zat ik dan eindelijk op mijn fiets, en mijn eerste les begon om half. Ik racete door de stad en negeerde elk rood stoplicht. Maar het was tevergeefs. Tegen de tijd dat ik bij school aankwam, was het schoolplein al verlaten.

'Karlijn Simonsen, je bent weer eens te laat! En het jaar is nog maar net begonnen,' bulderde Hermelink, mijn leraar Nederlands, toen ik de klas binnenliep. 'Met deze instelling slaag je nooit.'
Waarom moet die man me altijd zo openlijk uitkafferen? Ik mompelde iets van een excuus en gleed balend naast Puck.
'Misselijke vent,' fluisterde ik. 'Hij lijkt wel een ontplofte marmot met dat idiote kapsel van hem.'
Puck kon haar lachen nauwelijks inhouden en haar gezicht liep lichtpaars aan. Ik keek snel een andere kant op, want ik wist zeker dat ik anders ook moest lachen.
De lessen tot de eerste pauze verliepen hopeloos. Tenminste, ik kan me niet meer herinneren wat er bij wiskunde en economie is behandeld. Godzijdank ging om kwart voor elf de bel. Pauze! Ik liep met Puck naar de uitgang, op zoek naar Noor en Julia, die net Frans hadden gehad. En toen zag ik Nout op een van de bankjes buiten zitten. Hij gebaarde dat ik moest komen. Ik wou dat ik had kunnen doen of ik hem niet zag, maar dat was onmogelijk. Puck keek me veelbetekenend aan en zei dat ze alvast koffie voor me ging halen. Ik slenterde naar Nout.
'Hai.' Ik glimlachte, maar hij beantwoordde mijn glimlach niet.
'Hoe was je les?' vroeg Nout wat afstandelijk.
'Prima,' antwoordde ik. Gelukkig zat hij niet bij mij in de klas, maar in 6C.
'Ik heb je gisteravond gebeld, maar ik kreeg steeds je voicemail,' zei Nout lichtelijk verwijtend. 'En je hebt me niet teruggebeld.'
Ik knikte. Hij had gelijk. Maar toch was ik niet van plan om het uit te leggen. In plaats daarvan zei ik: 'Ik heb een

rotdag. Daar kan je best iets meer begrip voor hebben.'
'Ik begrip voor jóú? Verdorie, Karlijn,' riep Nout uit.
'Je doet zo vreemd de laatste tijd. Is er soms wat?'
'Hoezo?'
'Hoezo?' herhaalde hij mijn antwoord. 'Omdat je me al twee weken ontloopt. Ben je eigenlijk nog wel verliefd op me?'
Ik schrok van zijn vraag. We staarden elkaar een lang moment aan. Ik wilde iets zeggen, maar ik merkte dat ik niks te zeggen had.
Een klap, toen Nout met zijn vuist op het bankje sloeg.
'Jezus. Zeg het dan. Zeg dan dat je niet meer verliefd op me bent, als dat zo is.'
Ik hield mijn adem in, was zelfs een beetje in paniek. Dit gesprek ging de verkeerde kant op! Wat was ik aan het doen? Godzijdank ging op dat moment de bel.
'Moet ervandoor,' mompelde ik. 'Spreek je later.'
Ik draaide me vlug om en liep weg.
'Verdomme, Karlijn,' riep Nout. 'Dit kan je niet maken. Kom terug.'
Maar ik deed net of ik hem niet hoorde.
O god, voel me nog steeds afschuwelijk over vanochtend. Ergens hoopte ik dat Nout me na school zou bellen. Maar hij belde niet. Word vreselijk moe van mezelf. Heb geen zin om zo te gaan werken. Hopelijk is het rustig in De Toog en kan ik vroeg naar huis.

## Dinsdag 29 augustus 04.30 uur!!!

God, o, god, o, god! Zit te trillen terwijl ik dit schrijf. Er is iets raars gaande, ik zweer het. Twee weken geleden had ik toch die droom? En leek het net alsof die man me echt had aangeraakt? Nou, daarnet is er opnieuw iets heel engs gebeurd.

Ik was rond half één gaan slapen, maar om vier uur schrok ik opeens ergens wakker van. Mijn kussen en wangen waren nat van het zweet en ik had een enorme koppijn. Alles was donker. Heel donker. Ik luisterde naar mijn eigen onrustige ademhaling. En toen wist ik het weer: ik had iemand horen ademen in mijn slaap! Vlak naast me, precies zoals in mijn droom. Maar het had dit keer heel anders geklonken, veel luider en echter. En nog enger: de rechterkant van mijn bed voelde warm aan! Had er iemand naast me gezeten die er plotseling vandoor was gegaan toen ik wakker werd?

Toen, beng, hoorde ik een vreemd geluid buiten. Ik rende naar het raam. Mijn nekhuid tintelde terwijl ik naar buiten keek. Alles leek normaal. Maar toen hoorde ik het geluid weer, recht boven me, en er vielen steentjes langs mijn raam naar beneden. Er liep iemand op het dak! Ik stond te shaken op mijn benen, zo bang was ik. Met mijn laatste restje moed ging ik een stukje uit het venster

hangen en keek ik naar boven. Iemand loerde naar me. Ik voelde het, ook al zag ik niks. Plotseling kwam er een dikke duif onder een dakpan vandaan. Het domme beest keek me recht aan met zijn felgele ogen en vloog toen weg.
Toch heb ik geen vogel gehoord, ik weet het zeker, maar ik kan het niet bewijzen. Ik heb alle lampen in mijn kamer aangedaan. Ik ga echt niet meer slapen, vergeet het maar. Zodra ik mijn ogen dichtdoe gebeuren er enge, vreemde dingen. Maar vertel dat maar eens aan een ander. Niet een erg overtuigend verhaal, vrees ik.
Ik probeer ergens aan te denken, aan iets leuks, iets veiligs, en ik denk aan Nout. En opeens barst ik in tranen uit. Huil ik omdat ik bang ben of omdat Nout langzaam uit mijn leven verdwijnt? Ik weet het niet. Mijn hart bonst en mijn ogen branden. Godver, ben morgen totaal uitgeput van dit gedoe. Ga nu een sigaret roken, en het doet me dit keer niks als mijn ouders erachter komen.

# Maandag 23 oktober

Op school is er vandaag niks meer wat aan Karlijns dood herinnert. Nog geen week na haar begrafenis zijn alle bloemen en kaarsen uit de hal weggehaald. Op de plek waar Karlijns foto hing, is nu een poster geplakt met een aankondiging voor het kerstfeest. Leerlingen lopen druk pratend en lachend door de gangen. Het verschil met vorige week is groot, bijna te groot. Toen leek de school wel één groot rouwcentrum. Iedereen was verbijsterd en kon alleen maar over Karlijn praten. Er ontstond een soort band tussen alle leerlingen die bijna voelde als vriendschap.
Maar nu kan het niemand meer ene moer schelen dat Karlijn dood is, tenminste dat idee krijg ik. Ik vang flarden op van gesprekken over feesten, weekendjes weg en te veel drank. Ook Hanna en Marjolein hebben het heel ergens anders over als ik de klas in loop. Ik hoor Marjolein zeggen: 'Marcel Schutte heeft gevraagd of ik hem wil helpen met wiskunde.'
Hanna's ogen worden groot. 'Wat? Wie? Marcel Schutte? Uit 5E? Echt waar?'
'Mmm, ja,' zegt Marjolein. 'Die Marcel. Met rood haar en een oorbel.'
Ik ga in het bankje achter Hanna en Marjolein zitten.

Hanna buigt zich meteen naar me toe. 'Hé Eva, moet je horen, Marcel Schutte wil dat Marjolein hem bijles gaat geven. Dat geloof je toch niet?'
Ik knik en haal mijn scheikundeboek uit mijn tas.
'Ik weet niet wat ik moet doen,' zegt Marjolein.
'Nou,' antwoordt Hanna, 'het is best een aardige jongen. Hij ziet er wat alternatief uit, maar hij is niet lelijk. Misschien moet je het maar gewoon doen.'
Ze pakt mijn arm. 'Wat vind jij, Eva? Moet Marjolein wel of niet Marcel gaan helpen?'
'Weet niet,' zucht ik zonder hen aan te kijken.
Marjolein neemt genoegen met mijn antwoord. 'Oké, ik ga er nog wel even over nadenken. Hoe was je weekend eigenlijk? Nog leuke dingen gedaan?'
Gelukkig komt op dat moment Zijlstra binnen, onze leraar scheikunde. Hij begint een saai verhaal over een basegekatalyseerde reactie. Ik staar naar mijn boek. Vannacht heb ik urenlang wakker gelegen en geprobeerd om Karlijn uit mijn hoofd te zetten. Het lukte niet. Ik moest steeds denken aan de dagboekfragmenten die ik had gelezen. Ik zou ook bang zijn geweest als ik voor de tweede keer zo gek had gedroomd. Maar in plaats van haar gerust te stellen, had ik ruzie met haar gemaakt op die ene avond. Hoe ik ook ging liggen, alles in mijn lichaam voelde zich schuldig. Uiteindelijk ben ik uit bed gestapt en bij het raam gaan zitten. Na een tijdje had ik het zo koud dat ik niks meer voelde.
Ik hoor Hanna en Marjolein lachen om een grapje dat Zijlstra maakt. Ik kan er niks aan doen, maar ik vergelijk hen opeens met Karlijn. Dat moet ik niet doen, want het is niet eerlijk. Hanna is een aardig maar onopvallend meisje. Ze heeft plus vijf en draagt altijd een bril

met dikke glazen, waardoor haar grijze ogen erg groot en afstandelijk lijken in haar smalle gezicht. Haar blonde haar zit meestal in een vlecht of een paardenstaart en ze gebruikt nooit make-up. Marjolein is heel anders. Ze is een beetje vreemd. Of beter gezegd, ze ziet er wat vreemd uit. Ze verft haar lange krullen pikzwart, draagt elke dag rode lippenstift en hult zich in felgekleurde jurken die ze ergens op een markt in de Bijlmer koopt. Hanna en Marjolein zijn twee uitersten die op het eerste gezicht niet bij elkaar lijken te passen.
Toen ik bij Hanna en Marjolein in de brugklas kwam, vond ik ze maar niks, en zo anders dan Karlijn. We hadden één ding gemeen: niemand uit de klas besteedde veel aandacht aan ons. Hanna en Marjolein leken daar niet mee te zitten en werden al snel vriendinnen. Ik heb me nog maanden eenzaam en ongelukkig gevoeld, totdat we een keer in de kantine in gesprek raakten. Ik zat alleen aan een tafeltje en omdat er verder geen plek vrij was, kwamen Hanna en Marjolein naast me zitten. We praatten wat over school en opeens vroegen ze of ik samen met hen een werkstuk voor biologie wilde maken. Eigenlijk had ik liever nee gezegd, maar dan had ik die stomme opdracht alleen moeten doen, dus zei ik ja.
Dat was het begin van onze vriendschap. Toen het werkstuk klaar was – we haalden een negen – bleven we elkaar zien. Eerst omdat ik niemand anders had om mee op te trekken. Maar na een poosje leerde ik ze steeds beter kennen en werden we echt vriendinnen. Ik voelde me op mijn gemak bij de rustige, serieuze aard van Hanna en werd vrolijk van het aparte, uitgesproken karakter van Marjolein. Toch hebben ze nooit de plek van Karlijn kunnen innemen.

'Hé, Eva, de les is al een paar minuten afgelopen,' hoor ik Hanna opeens zeggen. 'Ga je mee? Anders komen we te laat voor Nederlands. Marjolein is naar de wc.'
Ik kijk op, recht in Hanna's ogen. Grote, grijze ogen met een paar spikkeltjes groen en lange, blonde wimpers. Ze zou er veel leuker uitzien met wat mascara en lenzen. Maar dat zeg ik niet. Ik knik slechts en stop mijn scheikundeboek in mijn tas.
Hanna staart me een eeuwigheid aan. Ten slotte zegt ze: 'Gaat het wel goed? Je ziet er moe uit.' Ze veegt een pluk haar uit haar gezicht en lijkt ergens over te twijfelen. 'Denk je aan Karlijn?' vraagt ze plotseling. 'Ik bedoel, ik kan me voorstellen dat je het heel erg vindt, maar jullie zijn al zo lang geen vriendinnen meer...' Haar stem klinkt wat aarzelend.
'Ik heb slecht geslapen. Er is niks. En waarom zou ik aan Karlijn denken? Doe niet zo gek.' Ik weet niet waarom ik lieg. Het antwoord vliegt zomaar mijn mond uit. Ik denk dat ik bang ben om Hanna te kwetsen. Ze heeft Karlijn altijd als een bedreiging voor onze vriendschap gezien, ook al heb ik dat honderden keren tegengesproken. Nog meer leugens. Ik had Hanna en Marjolein zonder twijfel op de tweede plek gezet, als dat nodig was geweest om Karlijn terug te krijgen. Ik ben niet trots op deze gedachte.
'Oké,' zegt Hanna, maar ze kijkt me onzeker aan. 'Heb je trouwens al gehoord dat Nora met Edwin heeft gezoend?'
Ik doe alsof ik bijzonder geïnteresseerd ben in de roddel. Hanna's gezicht ontspant en ze voorziet me van alle details terwijl we naar Nederlands lopen. Ik geef af en toe antwoord, zonder echt te luisteren. De rest van de dag probeer ik zo vrolijk en opgewekt mogelijk te

doen. Als om drie uur eindelijk de bel gaat na mijn laatste lesuur, ben ik doodmoe.
'Zullen we bij mij thuis huiswerk gaan maken?' vraagt Marjolein.
'Hè ja, goed idee,' zegt Hanna. 'Voor wiskunde moeten we morgen alle sommen uit hoofdstuk 6 af hebben. Het zijn integralen. Ik kan wel wat hulp gebruiken. Ga je ook mee Eva?'
'Nee,' antwoord ik. 'Ik ben hartstikke moe.' Dit keer lieg ik niet.
'Jammer,' zegt Hanna en ze haalt haar schouders op. 'Jij bent zo goed in wiskunde. Nou ja, als we vastlopen, bellen we je wel.'
We lopen naar buiten en schuilen onder het afdakje van de hoofdingang. Het regent. Niet een beetje, maar zo erg dat het grasveld blank staat en de putjes in het bordes gorgelend overstromen.
'Gatver, ik ga verhuizen naar een warm land,' moppert Marjolein. 'Wat een rotweer.'
'We zien je morgen,' zegt Hanna en ze rennen door het dichte regengordijn naar de uitgang.
Ik kijk mijn vriendinnen na. Ze zien er wat gek uit. Marjoleins paarse jurk fladdert als een natte vuilniszak onder haar jas, en Hanna springt onhandig over de plassen. Ze zwaaien nog een laatste keer en verdwijnen dan uit mijn zicht. Ik knoop mijn regenjas dicht en zet mijn capuchon op. Langzaam loop ik naar de straat. Ik moet linksaf slaan om naar huis te gaan. Maar ik ga naar rechts. Opeens heb ik besloten om een eindje te gaan lopen. Dikke regendruppels roffelen op het plastic van mijn jas en mijn gezicht is in een mum van tijd kleddernat. Het is schemerig, al is het nog maar middag.

De regen doet me aan Karlijn denken. We moeten een jaar of tien zijn geweest. Het was een woensdagmiddag en verschrikkelijk weer, maar we wilden per se buiten spelen. Na een half uur zeuren liet Karlijns moeder ons eindelijk gaan, dik ingepakt in regenjassen, mutsen en sjaals. Het was geweldig. We renden met open mond door de regen, en probeerden zo veel mogelijk regendruppels op onze tong te vangen. Mensen snelden langs in natte jassen en met druipende paraplu's. Iedereen keek onze kant op. Die twee meisjes zijn niet goed wijs, hoorden we ze denken. Wij konden alleen maar lachen. Lachen om het gekietel van de druppels op onze tong, lachen om elkaars druipende neus, lachen om de natte wereld die zo verbazingwekkend leuk was.
Mijn geluk van toen maakt mijn somberheid nu nog veel groter. Ik mis Karlijn zo erg dat het bijna echt pijn doet in mijn lichaam. Ik denk niet na en steek de weg over. Ik loop langs een dierenwinkel. Drie puppy's springen uitgelaten tegen het raam, maar ik negeer ze. Ik kom voorbij een afhaalchinees, een tandartspraktijk en een schoenenwinkel. Ik weet niet meer waar ik ben, en dat vind ik eigenlijk wel prima. Ik steek de weg over. Voor me loopt een vrouw met een kinderwagen waarover een plastic zeil hangt tegen de regen. Ze slaat linksaf een zijstraat in. Ik ga ook maar die kant uit.
En opeens sta ik op de plek van Karlijns ongeluk: de kruising tussen de Overtoom en de Constantijn Huygensstraat. De regen slaat in mijn gezicht en ik knipper met mijn ogen. Dit is de laatste plek op aarde waar ik nu zou willen zijn, en toch ben ik hier. Hoe is het mogelijk? Ik voel me net zo'n verdwaalde idioot die na uren rondsjokken in een bos weer bij dezelfde boom is beland. De

kruising ziet er grijs en troosteloos uit. Ik staar naar de stroom auto's, taxi's en fietsers die langs me rijdt. Dikke wolken uitlaatgassen zweven als laaghangende bewolking tussen de regendruppels. Het is bijna onmogelijk, maar het is nog harder gaan regenen. Mijn natte broek kleeft aan mijn kuiten en de punten van mijn schoenen glimmen van het water. Waarom ga ik niet weg?
'Wacht je op iemand?' hoor ik plotseling een stem achter me zeggen. 'Je mag wel even in mijn winkel schuilen. Het is zulk hondenweer.'
Ik draai me om en zie een man in de deuropening van de beddenzaak op de hoek staan. Hij rookt een sigaret en glimlacht naar me. Zijn haar is grijs en zijn huid bleek en gerimpeld. Ik was me niet bewust geweest van zijn aanwezigheid.
'Eh... nee, dat hoeft niet. Dank u wel.' Ik staar naar de stoep en hoop dat hij zijn mond houdt.
Blijkbaar zit de man verlegen om een praatje, want hij vervolgt: 'Doe maar een stap naar achteren, kind. Je staat zo dicht bij de straat. Een ongeluk zit in een klein hoekje. Twee weken geleden is hier een meisje doodgereden. Het is een gevaarlijk kruispunt.'
'Wat erg,' mompel ik en ik besluit naar huis te gaan. Ik wil niet met deze man praten. En al helemaal niet over het ongeluk van Karlijn. Maar de man denkt daar anders over.
'Ik heb het zien gebeuren. Ik stond hier een sigaretje te roken, net zoals nu. Ze kwam van die kant op de fiets aangereden,' zegt hij terwijl hij naar rechts gebaart. 'Het was een mooi meisje, dat weet ik nog goed. Daarom ben ik waarschijnlijk ook blijven kijken.'
Hij grijnst even. Ik staar naar zijn bruine voortanden en

voel me misselijk worden. Maar ik heb niet de energie om weg te lopen.
'Ze fietste heel hard. Het leek wel alsof het arme kind door de duivel zelf achterna werd gezeten. Het stoplicht was nog oranje toen ze met volle vaart de kruising op reed, dat zweer ik je. Ook al beweert de politie nu dat ze door rood is gereden. Maar het was haar schuld niet.'
De man knijpt zijn ogen halfdicht en neemt me langdurig op. Ik denk dat ik hem niet-begrijpend aankijk, want hij vervolgt op samenzweerderige toon: 'Ze was bijna aan de overkant toen er opeens een wit bestelbusje als een gek kwam aanrijden uit een zijstraat. Zomaar, vanuit het niks. Het arme schaap had geen schijn van kans. Boem, zo op de bumper. En dat busje reed gewoon door. Schandalig. Ze hebben de bestuurder nog steeds niet gevonden.'
Hij hoest en spuugt een rochel op de stoep. 'Zo is het gegaan. Ik verzin het niet. De politie vergist zich. Ik heb een agent alles verteld wat ik heb gezien, maar ze denken blijkbaar dat ik oud en seniel ben.'
Ik kijk hem aan, rillend en druppend van de regen, en ik weet niks te zeggen.
De man haalt zijn schouders op en gooit zijn sigaret weg. 'Leuk je gesproken te hebben. Ik moet weer aan de slag. Heb je eigenlijk nog een bed nodig? Ik heb een mooi modelletje in de aanbieding. Anders kom je even binnen kijken?'
'Ik heb al een bed,' zeg ik, omdat ik íets moet zeggen om van hem af te komen.
'Ja?' Hij klinkt alsof hij me slechts gedeeltelijk gelooft. 'Dat is jammer. Maar je kan dit weekend ook komen kijken. Op zaterdag krijg je tien procent extra korting.'

Ik knik. Ik zou zelfs niet naar deze winkel teruggaan als ik een bed gratis kreeg.
Dan gaat de man eindelijk naar binnen en ben ik alleen. Er schiet van alles door mijn hoofd. Dat deze man inderdaad oud en seniel is. Dat het stom is dat ik hier sta. Dat het niks uitmaakt of Karlijn door oranje of door rood is gereden, toch? Het blijft een ongeluk, en ze blijft dood. Ik begin te lopen. Eerst langzaam, dan steeds sneller en sneller. Ik zie nog net vanuit mijn ooghoek dat de man van de winkel in zijn etalage naar me staart.

# Dinsdag 24 oktober

Het regent vandaag weer. Toen ik vanochtend wakker werd, hoorde ik de druppels al tegen mijn raam striemen. Ik bleef nog even in bed liggen en probeerde me de droom te herinneren die ik vannacht had gehad. Stukjes ervan schoten me te binnen. Karlijn was in mijn kamer geweest. Ze had gehuild. Ik weet niet meer wat er daarna gebeurde, maar opeens stond ik voor mijn raam en zag ik haar buiten op straat staan. Midden op de weg. Een wit busje kwam de straat in rijden, recht op Karlijn af. Ik bleef maar schreeuwen, volledig over mijn toeren, dat ze opzij moest gaan. Maar ze hoorde me niet. Toen kwam de klap. Karlijn begon te zweven, over de geparkeerde auto's, langs de huizen, naar mijn slaapkamerraam. Ze kwam heel dicht bij mij en keek me aan. Haar gezicht was het gezicht van de oude man die ik gistermiddag had gesproken.
O, was ik gisteren na school maar rechtstreeks naar huis gegaan. Het was pijnlijk en verwarrend om alle details over haar ongeluk te horen. Wat ben ik ermee opgeschoten? Een onrustige nacht vol met verwarde dromen en een enorme hoofdpijn. Ik schuif mijn boterham van links naar rechts over mijn bord. Ik heb geen honger.
'Eva,' roept mijn moeder vanuit de gang. 'Ga je mee?

Anders kom je te laat. En ik ook voor mijn werk. Ik wacht op je in de auto.'
'Ik kom eraan,' roep ik.
Op mijn horloge zie ik dat het kwart over acht is. Nog een kwartier en dan begint mijn eerste les. We moeten inderdaad opschieten. Ik loop naar de badkamer. Mijn spiegelbeeld staart me aan vanaf de spiegel boven de wasbak. Ik zie er moe en bleek uit. Ik slik twee aspirientjes en haal een kam door mijn halflange haar. Het blijft alle kanten oppieken. Waarom zit mijn haar alleen leuk als ik van de kapper terugkom? Ik heb geen tijd om over deze vraag na te denken, want ik hoor mijn moeder buiten ongeduldig toeteren. Ik doe vlug het licht uit en mijn spiegelbeeld verdwijnt.
Met mijn rugzak boven mijn hoofd ren ik door de regen naar de auto. Mijn moeder steekt haar hand op en wijst naar haar telefoon die in de houder op het dashboard zit. Ze is aan het bellen. Ik knik en ga zitten. Het is een heerlijk gevoel om binnen in de droge en warme auto te zijn. Gelukkig heeft mijn moeder vanochtend een afspraak in Amsterdam waardoor ze me naar school kan brengen. Meestal is ze al naar haar werk als ik opsta.
Mijn moeder geeft gas en trekt op. Ik hoor een mannenstem door haar telefoon zeggen: 'Die mensen willen per se een oranje bank. Misschien kan jij ze nog op andere ideeën brengen? Ik verf nog liever de muren groen dan dat we daar een oranje bank neerzetten.'
'Mmm, ja,' mompelt mijn moeder terwijl ze schakelt. 'Ik ga echt geen oranje gebruiken. Dan zoeken ze maar een andere binnenhuisarchitect.' Ze veegt een pluk haar uit haar gezicht en moet lachen.

Mijn moeder is knap. Ze heeft krullend blond haar, lichtbruine ogen met lange wimpers en ze is heel slank. Als ze ergens is, kijken alle mannen altijd naar haar. Jammer genoeg lijk ik niet op mijn moeder. Ik ben niet mooi, en niet lelijk, maar heel onopvallend. Als ik op straat loop, verdwijn ik in de mensenmenigte; als ik op een feestje ben, zal niemand zich mij de volgende dag herinneren; en er heeft nog nooit een leuke jongen naar me omgekeken. Ik ben eraan gewend geraakt. Misschien ben ik me ook wel naar mijn saaie uiterlijk gaan gedragen.

Volgens mijn moeder lijk ik sprekend op mijn vader. Ik weet niet of dat een compliment is. Mijn moeder heeft slechts één foto van hem bewaard. Hij ziet er uit als een grote, stevige man met een bleke huid en rossig haar. Hij lacht wel vriendelijk op die foto. Ik heb mijn vader niet bewust gekend. Hij is ervandoor gegaan op mijn derde. Toen ik jonger was, hoopte ik altijd dat hij opeens voor de deur zou staan. Elke avond voor het slapengaan fantaseerde ik dat hij heel veel van me hield en dat hij weer bij ons kwam wonen. Tot op de dag van vandaag heeft hij niks meer van zich laten horen. Ik heb al heel lang niet meer aan mijn vader gedacht.

'Eva?' hoor ik mijn moeder zeggen. 'We zijn er.'

Ik kan even geen antwoord geven, zo ver weg was ik met mijn gedachten. Ik had niet gemerkt dat we voor school staan. En dat mijn moeder me met gefronste blik aanstaart.

'Eva?' zegt ze opnieuw. 'Is alles wel goed met je?'

'Ja,' mompel ik en ik maak mijn gordel los.

Dit antwoord is blijkbaar niet genoeg voor mijn moeder.

'Ben je ziek? Je bent zo bleek. Of is er wat anders? Je zou het me toch wel vertellen als er iets is?'
'Natuurlijk,' zeg ik en daar laat ik het bij.
Toen ik in de brugklas zat, en de zoveelste middag eenzaam thuis had doorgebracht, heeft mijn moeder eens gezegd dat ik te trouw was in mijn vriendschap met Karlijn. En dat ik misschien moest accepteren dat ze niet meer mijn beste vriendin was. Ik heb toen ruim twee weken mijn moeder genegeerd, zo boos was ik op haar. Ze is er daarna nooit meer over begonnen. En dit lijkt me niet het goede moment om mijn moeder te vertellen dat ik al nachtenlang wakker lig van Karlijn en dat ik gisteren bovendien op de plek van haar ongeluk ben geweest. Het komt zelfs op mij wat bizar over.
Ik buig naar mijn moeder en geef haar een zoen. 'Er is echt niks. Ik ben gewoon een beetje moe,' zeg ik.
'Goed. Dan moet je vanavond maar vroeg naar bed.' Ze geeft me een knipoog en een tikje tegen mijn wang.
'Mam, toe, maak je niet zo'n zorgen. Ik zie je straks. Werk ze.' Ik stap uit en ren snel naar de ingang.

Henk Poortstra, mijn leraar wiskunde, kijkt me aan alsof hij niet kan geloven wat ik daarnet heb gezegd. Zijn ogen rollen in hun kassen en zijn mond is een lange, strakke streep.
'Je hebt je huiswerk niet gemaakt?' herhaalt hij nors mijn antwoord.
De klas is muisstil. Iedereen kijkt naar me. Ik hoor iemand achter in het lokaal iets fluisteren en zacht gegniffel. Blijkbaar is het erg grappig dat ik een keer mijn huiswerk niet heb gemaakt. Ik schaam me dood en voel mijn wangen rood worden. Waarom had Poortstra nou

net mij eruit gepikt bij het bespreken van de huiswerk-opgaven? Toen ik gistermiddag thuiskwam, verkleumd en natgeregend, ben ik op de bank gaan liggen met een warme kruik. Ik moest aan van alles denken, maar niet aan mijn wiskundesommen voor vandaag.
Poortstra schraapt zijn keel. 'Als dit nog een keer voorkomt, kan je uit mijn les vertrekken. Begrepen?'
Ik knik en vermijd zijn ogen.
'Mooi zo.' Hij klinkt wat vriendelijker. 'Dan gaan we nu verder met differentiaalvergelijkingen. Jullie hebben vijf minuten de tijd om de oefenopgave op bladzijde zestig te maken.'
Ik buig me over de som. Hanna, die naast me zit, stoot me aan.
'Waarom had je je huiswerk niet gemaakt?' vraagt ze zacht. 'Was je ziek?'
Ik kijk Hanna even aan. Er ligt een bezorgde blik in haar ogen.
'Zoiets,' zeg ik ten slotte.
'Mmm,' mompelt Hanna, met een stem alsof ze grote vraagtekens bij mijn antwoord zet. Ze kauwt op haar lip en fronst. Ik weet dat ze nu ergens over nadenkt. De frons verdwijnt.
'We gaan na school bij mij thuis thee drinken,' zegt ze vastbesloten. 'Gezellig met z'n drietjes. En dan halen we tompouces bij de Hema. Oké?'
Ik hoor aan haar stellige toon dat het geen zin heeft om nee te zeggen. Uit mijn ooghoek zie ik dat Poortstra naar ons kijkt. Ik voel weinig voor een tweede uitbrander.
'Prima,' fluister ik. 'We praten straks verder, goed?'

Na het laatste lesuur loop ik met Hanna en Marjolein over de oude marmeren trap naar de centrale hal. Het is eindelijk gestopt met regenen en het zonlicht schijnt op de zwart met wit geblokte vloer beneden ons.
'Ik heb net tegen Marcel gezegd dat ik hem ga helpen met wiskunde,' zegt Marjolein.
Even blijft het stil en dan roept Hanna: 'Ooooh, ja, echt? Vertel op! Hoe reageerde hij?'
'Ssst, niet zo hard, joh,' sist Marjolein. 'Straks weet de hele school het. Als we bij jou zijn, vertel ik alles.'
'Oeps, sorry,' zegt Hanna. 'Maar ik wist gewoon dat je hem bijles ging geven. Ik denk dat Marcel verliefd op je is.'
Marjolein zendt haar een waarschuwende blik.
'Oké,' lacht Hanna. 'Ik hou mijn mond.'
'Ik ga nog even snel naar de wc,' zeg ik als we beneden zijn.
'Schiet je op?' vraagt Marjolein. 'We moeten nog langs de Hema.' Ze haakt haar arm door die van Hanna en zegt over haar schouder: 'We wachten buiten op je.'
Ik haast me door de verlaten gang, naar de toiletten, waar ik in een leeg hokje ga zitten. De deur van de toiletruimte gaat open en er komen twee meisjes binnen. Ze praten giechelend over een jongen. Ik trek door en de stemmen zwijgen abrupt. 'Er is hier iemand,' fluistert een van de meisjes. 'Kom, we gaan.' Het geluid van voetstappen volgt en ik hoor een deur dichtslaan. Ik wacht even, totdat ik zeker weet dat ik alleen ben, en kom uit mijn hokje. In de spiegel oefen ik een glimlach. Ik heb eigenlijk niet veel zin om met Marjolein en Hanna thee te gaan drinken, maar ik wil ook niet de hele middag alleen thuis zitten en over Karlijn pieke-

ren. Ik zucht, loop naar buiten en sta oog in oog met Nout.
Ik schrik zo van deze onverwachte ontmoeting met Karlijns vriend dat ik hem met open mond aanstaar. Hij ziet er moe uit en voordat ik het weet zeg ik: 'Gaat het een beetje?'
Nout kijkt me aan alsof ik van een andere planeet kom. Ik kan mijn tong wel afbijten. Waarom heb ik hem aangesproken? Ik ken hem helemaal niet, behalve dan van de verhalen uit Karlijns dagboek.
'Wie ben jij in godsnaam?' vraagt Nout. Hij staat voor me, met zijn benen gespreid en zijn armen over elkaar geslagen.
'Karlijns buurmeisje,' stamel ik. 'Eva.'
'Oh.' Gedurende enkele seconden zwijgt hij. 'Karlijn heeft het wel eens over je gehad, geloof ik.' Hij haalt zijn schouders op.
Op de een of andere manier voel ik me beter door zijn antwoord, waardoor ik durf te zeggen: 'Ik moet veel aan haar denken. Ik vind het zo erg.' Dan floep ik eruit: 'Ik ben gisteren op de plek van haar ongeluk geweest.'
Nout kijkt me wezenloos aan. Misschien glimlach ik, maar ik ben bang dat er een idiote grijns op mijn gezicht ligt, zo zenuwachtig word ik van Nouts starende blik.
'De man van de beddenzaak op de Overtoom heeft het ongeluk zien gebeuren,' ratel ik. 'Hij denkt dat Karlijn door oranje is gereden. Maar de politie gelooft hem niet.'
'Jezus!' Nouts wenkbrauwen schieten omhoog.
'Ja, heftig, hè?' knik ik. 'Misschien heeft die man wel gelijk en...'

'Hou alsjeblieft je kop!' zegt Nout zo fel dat ik ervan schrik. Hij doet een stap naar voren, en ik naar achteren, waardoor ik met mijn rug tegen de muur aansta.
'Het maakt me geen ene moer uit of ze door rood of oranje is gereden,' sist hij. 'Ik wil helemaal niet over Karlijn praten.'
Ik staar hem met open mond aan. Onze blikken kruisen elkaar en ik zie een flits van angst in zijn ogen. Of verbeeld ik me dat alleen maar?
'Ga alsjeblieft iemand anders lastigvallen. Maar laat mij met rust.' Nout draait zich om en verdwijnt met grote stappen in de toiletruimte.
Mijn mond is kurkdroog en mijn hart bonst luid in mijn oren. Ik probeer Nouts reactie te begrijpen, maar het lukt niet. Opeens krijg ik een raar gevoel in mijn buik, alsof ik op het punt sta van een belangrijke ontdekking. Zou het kunnen dat Nout iets te verbergen heeft en daardoor zo vreemd reageert? Deze gedachte laat me niet meer los. Eén ding weet ik zeker: ik moet hier weg. En vlug ook. Voordat Nout naar buiten komt.

Ik vind Hanna en Marjolein buiten op een van de stenen bankjes voor de school.
'Hè, hè, daar ben je eindelijk,' verzucht Marjolein. 'We vroegen ons al af waar je bleef.'
'Ik ga niet meer mee,' zeg ik.
Ze kijken me ongelovig aan.
'Sorry,' mompel ik. 'Er is iets dringends tussengekomen.' Ik draai me om.
'Eva, wacht even!' roept Hanna. 'Wat is er aan de hand? Dit kun je niet maken! Kom alsjeblieft terug.'
Ik negeer Hanna's smeekbedes en loop door. Ik heb nog

een paar uur. Een paar uur voordat mijn moeder van haar werk thuiskomt. En ik ongestoord in Karlijns dagboek over Nout kan lezen. Wie weet vind ik daar een aanwijzing voor zijn vreemde gedrag.

# Donderdag 31 augustus

Samenvatting van mijn humeur: klote.
Belangrijkste oorzaken:
1. Ik heb vannacht wéér die droom gehad.
2. Nout negeert me al vanaf maandag.
Gevolg: mijn hoofd verandert langzaam in een enorme chaos. En ik ben te moe om er orde in te scheppen.

Om met het eerste probleem te beginnen: één keer vreemd dromen, is tot daar aan toe. Twee keer dezelfde nachtmerrie kan nog toeval zijn. Maar drie keer dromen over dingen die echt lijken te gebeuren, is niet normaal meer!
Vannacht was verschrikkelijk. Ben mijn hele leven nog nooit zo bang geweest. Ik kwam rond middernacht terug uit De Toog en voelde me niet zo goed. Ik was vreselijk moe en een beetje duizelig. Sinds de vakantie heb ik daar vaker last van. Ik kan soms mijn ogen niet openhouden van de moeheid. Misschien heb ik de ziekte van Pfeiffer? Dat schijnt te heersen. Moet binnenkort maar eens bloed laten prikken. Gelukkig was het heel rustig in De Toog. En Steven was zo aardig om de sluiting te doen, zodat ik iets eerder weg kon. Hij is echt een geschikte jongen. Eenmaal thuis ben ik meteen in bed gaan liggen met een

aspirientje. Ik wilde eigenlijk wakker blijven, maar ik was zo moe dat ik meteen in slaap viel.
Midden in de nacht schrok ik wakker. Tenminste, ik dacht dat ik wakker was, maar er klopte iets niet. Ik kon me namelijk niet bewegen. Mijn armen en benen waren loodzwaar, alsof er grote gewichten aan mijn handen en voeten hingen. Ik leek wel gevangen in mijn eigen lichaam. Plotseling stond die man weer voor mijn bed. Ik dacht: ik weet wat er gaat gebeuren. Hij raakt me aan, ik gil, en daarna word ik echt wakker. Niet dus. Die griezel deed dit keer wat anders! Hij begon tegen me te praten! En ik kon voor het eerst zijn gezicht zien. Wit, met donkere ogen en een grote, zwarte mond. Hij leek nog het meest op zo'n zombie uit een horrorfilm. Jezus, wat was ik bang! Hij zei, als ik het me goed herinner: 'Dood zijn is voor altijd slapen.' Toen legde hij zijn hand op mijn ogen. Alles werd zwart. Ik dacht dat hij me ging vermoorden, maar vanochtend werd ik gewoon wakker. Met brandende ogen, een droge mond en een enorme koppijn. Mijn ergste kater was er niks bij.
Wat is er in godsnaam met me aan de hand? Het is alsof mijn droomwereld en de werkelijkheid steeds meer met elkaar versmelten, waardoor ik ze niet meer uit elkaar kan houden. Ik begrijp het niet, ik begrijp er helemaal niets van. Er is gewoon geen goede verklaring voor mijn dromen. Ik heb een artikel gelezen over schizofrenie. Dat is een ziekte waardoor je dingen ziet of hoort die er niet echt zijn. Is het mogelijk dat een mens in een paar weken tijd schizofreen wordt? Nee, zeg. Idioot idee.
Moet ik misschien toch mijn ouders in vertrouwen nemen? Weer een idioot idee. Mama stuurt me meteen naar een psychiater. En papa kan ik nu niet lastigvallen met mijn

problemen. Het gaat echt niet goed met pap. Hij is nogal verward: nu eens verstrooid en afwezig, en dan weer somber en verdrietig. Ik heb hem deze week al twee keer zien huilen, maar dan doet hij net of er een vuiltje in zijn oog zit. Ik voel me dan zo ellendig. Papa zien huilen is echt het allerergste wat er is. Zou hij misschien depressief zijn? Ik heb het gisteren aan mam gevraagd. Ze zei dat ik niet over papa moest inzitten en ze deed net of er niks aan de hand was. Kennelijk denkt ze dat ik een halfgare, naïeve kleuter ben. O, ik haat het als mijn moeder me zo behandelt.
Kon ik Nout maar alles vertellen over mijn op hol geslagen fantasie. Hij is de enige persoon die ik in vertrouwen had durven te nemen. Waarschijnlijk had hij me in zijn armen genomen en mijn gepieker weggezoend. Maar sinds maandag zijn Nout en ik niet meer 'on speaking terms'. We sms'en en bellen niet meer, en we negeren elkaar op school. Ik speel ons laatste gesprek steeds weer opnieuw af in mijn hoofd, en ik begrijp zijn boosheid. Ik ben zo bot tegen hem geweest. Elke pauze wil ik naar hem toe rennen. Zijn bleke, verdrietige gezicht kussen. Alles uitpraten. Maar ik zeg niets, doe niets, en verwijder me steeds verder van hem. En Nout laat het toe. Misschien is dat nog wel het ergste.
God, o, god, dit is zo ongeveer de ergste week van mijn leven. Ben zo ongelukkig. En zo verschrikkelijk moe. Maar ik durf na vannacht echt niet meer te gaan slapen. Beloof me, Karlijn, dat je iets aan deze situatie gaat doen! Want dit kan zo niet langer.

## Vrijdag 1 september 07.50 uur

God-zij-dank!!! Ik moet dit even kwijt. Ben zo opgelucht! Vannacht heb ik tot een uurtje of drie liggen lezen, en toen ben ik waarschijnlijk in slaap gedommeld, want ik werd daarnet wakker van het zonlicht. En... ik heb niet gedroomd! Over niks. Niet over enge mannen die me wurgen, niet over Nout en zelfs niet over mijn eindexamen. Voel me meteen iets beter na een paar uurtjes slaap, al zit ik nog niet wat je noemt geweldig in mijn vel. Lieve hemel, wat was ik er gisteren ernstig aan toe. Misschien moet ik die bladzijde maar uit mijn dagboek scheuren? Heb goede hoop dat alles vanaf nu weer beter gaat. Ga snel douchen, anders kom ik te laat voor wiskunde.

# Vrijdag 1 september 15.25 uur

Ben weer thuis, en ik voel me toch iets minder goed dan ik vanochtend dacht. School was een ramp. Een absolute ramp. De eerste twee uren waren nog wel oké, maar bij Engels ging het mis. Kooistra besloot opeens om een onverwachte overhoring te geven. Natuurlijk had ik gisteren niet de lijst met woorden uit hoofdstuk negen geleerd, daarvoor was ik veel te veel in de war geweest. Terwijl Kooistra de blaadjes uitdeelde, voelde ik de tranen achter mijn ogen branden. Een vette onvoldoende voor Engels was wel het laatste waar ik op zat te wachten. Luid snuitend verborg ik mijn gezicht in een zakdoek. Hopelijk dacht iedereen dat ik verkouden was.

'Wat is er?' vroeg Puck naast me. Ze leek niet in mijn nepverkoudheid te trappen.

'Ruzie met Nout,' fluisterde ik. 'We negeren elkaar al vanaf maandag. Ik heb onwijs bot tegen hem gedaan.'

Het was slechts de halve waarheid waarom ik zo labiel reageerde, maar dat wist Puck niet. Ik ging haar echt niet over mijn nachtmerrie vertellen, dan zou ze – terecht – denken dat ik gek was geworden.

'Ruzie met Nout? Al vanaf maandag? Dat meen je niet! Waarom zeg je dit nu pas? Ik ben toch je vriendin?' Puck

keek me geschokt aan, waardoor ik me nog ellendiger voelde.
'Sorry,' mompelde ik. 'Ik hoopte waarschijnlijk dat het vanzelf goed zou komen. Niet dus. Ik zou het je altijd vertellen. Je bent mijn beste vriendin, dat weet je.' Ik snoot hard mijn neus en probeerde mijn tranen weg te knipperen.
Puck zweeg even en zei toen zacht: 'Oké. Het geeft niet. Ik ben blij dat ik het nu weet. Je moet niet gaan huilen, hoor.' Ze legde een hand op mijn arm en vervolgde kordaat: 'Dit is een noodtoestand. We gaan vanavond wat drinken. Je mag niet alleen thuiszitten. Ik weet zeker dat Noor en Julia het met me eens zijn.'
Ik werd overspoeld door genegenheid terwijl ik naar Puck keek die zo haar best voor me deed. Lieve Puck, die al vanaf de eerste dag in de brugklas mijn vriendin was.
En opeens waren ze er: de tranen. Ik boende snel met mijn zakdoek over mijn wangen.
'Dank je wel,' snotterde ik.
We werden onderbroken door Kooistra, die twee lege velletjes op onze tafel legde en onaardig zei: 'Kunnen de dames nu eindelijk hun mond houden? Anders kunnen jullie je spullen pakken en vertrekken.'
Ik heb een uur lang naar de opgaven gestaard. Wist ik veel wat de Engelse vertaling was van 'bankafschrift' en 'boekenlegger'. En Kooistra keek zo vaak onze kant op dat ik niet bij Puck durfde te spieken.
Gelukkig was mijn moeder daarnet niet thuis. En kon ze daarom ook niet vragen hoe mijn schooldag was geweest. Waarschijnlijk zou ze een hartaanval krijgen als ze wist van mijn onvoldoende voor Engels. En dat kan ik er vandaag absoluut niet bij hebben.

Vanavond om tien uur met Puck, Noor, en Julia afgesproken. Ik heb nog ruim zes uur de tijd om mijn gigantische wallen weg te werken en wat leuks uit de kast te trekken. Dat moet lukken. Hoop ik.

## Zaterdag 2 september 03.40 uur

Beetje dronken. En wat misselijk. Maar dat kan me niet schelen. Het was een superfijne avond. Moet even opschrijven wat we allemaal hebben besproken. Ben morgen waarschijnlijk alles vergeten. Mmmm, lastig om hand recht te houden, letters bewegen, best grappig eigenlijk.
We waren terechtgekomen in Dansen bij Jansen. We wilden eigenlijk naar het Rembrandtplein, maar het regende, en Dansen bij Jansen was dichterbij. Het was nog lekker rustig, en we konden aan de bar zitten. Puck, Noor, en Julia waren geweldig in hun pogingen me op te beuren. Ze bestelden de ene na de andere passoa jus voor me, en luisterden aandachtig naar mijn verhalen over Nout.
Volgens Julia moest ik er een punt achter zetten. En kon ik Nout beter vertellen dat ik niet meer verliefd op hem was. Want hier ging ik kapot aan enz, enz.
'Je moet hem dit weekend bellen voor een afspraak,' schreeuwde Noor (de muziek stond erg hard). Ze stak een sigaret op. 'Hoe sneller je het uitmaakt, hoe beter! Nout gedraagt zich echt als een enorme eikel. Wat geeft hem het recht om jou zo te negeren?'
Opeens begon Puck te sputteren. Ze had de hele avond

rustig geluisterd, maar nu leek ze het absoluut niet met Noor eens te zijn. Tenminste, zo vatte ik haar antwoord en rode wangen op.
'Ik denk dat Nout gekwetst is door dat gesprek en daarom zo afstandelijk doet.' Ze scheurde aan een bierviltje en legde de snippers op de bar. 'Hij is altijd superlief voor Karlijn geweest. Ik vind deze hele situatie ook sneu voor hem.'
'Puck! Je bent niet lekker,' riep Noor. 'Je neemt het voor de verkeerde op, hoor. Karlijn moet hem gewoon dumpen. Kom, we nemen er nog een.' Ze wenkte naar de jongen achter de bar dat er nog vier glazen passoa jus moesten komen.
We proostten met: 'Alle mannen zijn waardeloos.'
Toen werd, heel toevallig, het liedje I Will Survive van de Hermes House Band gedraaid. We renden joelend de dansvloer op en zongen luidkeels mee. De rest van de avond hebben we aan een stuk door gedanst. Het was zo lekker om even nergens aan te denken.
Ga dit weekend moed verzamelen om Nout te bellen. Mijn maag draait zich om bij het idee. Of komt dat door de enorme hoeveelheid passoa jus die ik heb gedronken? Hmmm. Nou ja, whatever. Ga nog even een paar glazen water drinken, en dan slapen. Hopelijk blijft die rotdroom weg.

# Zondag 3 september

Heel laf, maar ik heb Nout een half uur geleden deze mail gestuurd:

> We moeten praten. Dit gaat zo niet langer.
> Donderdag om 20.00 uur bij mij?
> Karlijn

Ik durfde hem niet te bellen, erg hè? Baal wel een beetje dat we elkaar pas donderdag zien, maar eerder kon echt niet, want ik moet morgen, overmorgen en woensdag in De Toog werken. Zou hij... Goeie god, er komt nu een bericht binnen van Nout!

Ben er weer. Heb mail gelezen. Bestond uit deze vier woorden:

> Is goed. Tot donderdag.

Lekker onpersoonlijk. Maar ja, wat had ik dan gedacht na mijn mail? Alle moed zinkt me opeens in de schoenen. Heb ik hier wel goed aan gedaan? Jezus, Karlijn, hou op met twijfelen. Nout en jij zijn vanaf donderdag verleden tijd.

# Woensdag 25 oktober

Om half acht 's ochtends word ik gewekt door mijn wekkerradio. Marco Borsato met *Rood*. Ik druk de radio uit en blijf nog even in bed liggen. Als eerste moet ik denken aan de stukken die ik gisteren in Karlijns dagboek heb gelezen. Ze had weer die vreemde droom gehad. Karlijn had de laatste weken voor haar dood duidelijk niet goed in haar vel gezeten. En ze had het uit willen maken met Nout! Dat had Nout waarschijnlijk niet leuk gevonden. Misschien was hij er nu nog steeds helemaal kapot van. Maar verklaart dat de flits van angst die ik gisteren in Nouts ogen zag? Ik weet het niet. Toch ben ik er steeds meer van overtuigd dat Nout iets verzwijgt over Karlijns ongeluk.
Ik sta op en loop op mijn blote voeten en in badjas door ons huis. Ik vind het nog steeds een gek idee dat mijn vader hier tot mijn derde ook heeft gewoond. Ik kan me er niks van herinneren. Toen ik een jaar of tien was, heb ik zelfs een tijdje gedacht dat ik geadopteerd was. Op de een of andere manier vond ik dat makkelijker te accepteren. Waarom liet mijn vader anders niks meer van zich horen?
Mijn moeder heeft dagenlang op me in gepraat dat ik het verkeerd zag. Ik geloofde haar niet. Uiteindelijk kwam

ze aan met die ene foto van mijn vader. Ik vond het verschrikkelijk om het bewijs van zijn bestaan te zien. Ik begreep het niet. Waarom had mijn vader mij in hemelsnaam gekregen als hij me nooit meer wilde zien? Misschien was ik wel een ongelukje geweest. Volgens mijn moeder was dat echt niet zo.
'We waren dolgelukkig toen ik zwanger bleek te zijn. En we waren nog gelukkiger toen je werd geboren. Je was echt ons kleine, lieve meisje. Je mag nooit meer denken dat je niet gewenst was. Je vader is om hele andere redenen bij ons weggegaan.' Ik zag aan de gepijnigde blik in haar ogen dat ze daar niet met me over wilde praten.

De keuken is verlaten. Mijn moeder is al naar haar werk. Ze heeft een briefje voor me achtergelaten op het aanrecht. Ze komt vanavond laat thuis. En er staat lasagne in de ijskast die ik kan opwarmen. Ik ga aan de keukentafel zitten. Ik krijg Nout maar niet uit mijn hoofd. Als hij echt iets verzwijgt over Karlijns dood, dan is dat heel erg. En dan kan ik dat niet zomaar negeren. Misschien was het wel voorbestemd dat ik hem gisteren tegenkwam op school.
Ik staar naar mijn handen. Afgekloven nagels, een korstje dat ik tot bloedens toe heb opengekrabd: ik móét meer over Nout te weten zien te komen, als ik verlost wil worden van mijn gepieker. Ik móét iets gaan ondernemen. Ik besluit opeens om niet naar school te gaan.
'Vossius Gymnasium Amsterdam, met Kees Boersma,' neemt de conciërge een paar minuten later de telefoon op.
'Eh... u spreekt met Eva Nieboer uit klas 5D,' probeer ik

zo ziek en zielig mogelijk te zeggen. 'Ik heb griep. Ik kan vandaag jammer genoeg niet naar school komen.'
'Wat vervelend,' bromt de conciërge. 'Maar ik zou graag een van je ouders willen spreken.'
'Ik, eh... woon bij mijn moeder,' hakkel ik. 'Ze is nu op haar werk, snapt u wel.' Opeens krijg ik een idee: 'Ze heeft een belangrijke vergadering. Ik kan haar pas aan het eind van de middag bereiken. Zal ik vragen of ze u dan belt?' Ik eindig mijn zin met een enorme hoestbui.
De conciërge reageert zoals ik had gehoopt: 'Na drieën ben ik niet meer op school. Laat voor deze keer dan maar zitten. Maar als je morgen nog ziek bent, moet je moeder wel even bellen. Beterschap.'
Op de website van school zoek ik het rooster van Nout op. Een makkie. Klas 6C heeft vanmiddag tot 12.35 uur les, lees ik op het scherm. Tot nu toe gaat het goed. Ik heb meer dan genoeg tijd voor mijn plan. Maar ik moet eerst wel zijn thuisadres zien te vinden. Wat weet ik van Nout? Zijn achternaam, Berendschot, en dat hij ergens in Amsterdam woont. Ik toets deze gegevens in op de digitale telefoongids. Er verschijnen drie Berendschots in beeld. Eén adres valt meteen af, omdat het hoort bij een advocatenkantoor. De twee overgebleven adressen bieden weinig aanknopingspunten: één familie Berendschot woont op de Keizersgracht, de andere familie aan de Koningslaan.
Ik pak mijn mobiele telefoon en bel het nummer van de Keizersgracht. Eigenlijk ben ik tamelijk verbaasd dat ik dit durf: wat moet ik in godsnaam zeggen als iemand opneemt? En misschien hebben ze wel nummerherkenning. Ik word steeds zenuwachtiger. Gelukkig slaat op dat moment het antwoordapparaat aan: 'Hallo, Olivier,

Saskia, Philip en Noralie zijn niet thuis. Als je een bericht inspreekt na de piep, bellen we je zo snel mogelijk terug.' Voordat de pieptoon komt, druk ik mijn telefoon uit. Olivier, Saskia, Philip en Noralie, maar géén Nout. Hij woont dus op het andere adres: de Koningslaan. Of zijn ouders moeten een geheim telefoonnummer hebben, maar dat kan ik me niet voorstellen. Ik dubbelklik op de link bij het adres die verwijst naar meer informatie. Er verschijnt een kaartje van Amsterdam in mijn beeld. Ik zie dat de Koningslaan aan het Vondelpark ligt. Ik kom daar weinig: het is een van de chicste buurten van Amsterdam.
Ik zet de computer uit, neem snel een douche, trek een makkelijke spijkerbroek, een sweater en mijn gymschoenen aan. Het zal een klein kwartiertje fietsen zijn naar Nouts huis. In de keuken eet ik bij het aanrecht een boterham met jam die ik wegspoel met een paar slokken Appelsientje uit het pak. Waarom ik zo'n haast heb, weet ik niet. Maar ik heb het onrustige gevoel dat er geen tijd te verliezen is. Ik gris mijn jas van de kapstok, stap op mijn fiets en rij weg.

Het is koud en winderig. Ik moet hard trappen om tegen de wind in vooruit te komen. Het eerste stuk is gelijk aan mijn route naar school. Hoe vaak heb ik deze weg gefietst? Ontelbare keren, en bijna altijd alleen. Karlijn werd meestal door Puck opgehaald en ik durfde nooit te vragen of ik mee mocht fietsen. Karlijn en ik zijn maar een paar keer samen naar school gefietst. Zo ook op de dag dat ik veertien werd.
Ik wilde eigenlijk niks doen voor mijn verjaardag, maar mijn moeder vond dat ik een feestje moest geven. Ze

had zelfs al boodschappen gedaan: zakken chips, een krat fris en een grote slagroomtaart. Ik durfde geen nee te zeggen, want dat leek me erg ondankbaar. Mijn moeder had tenslotte erg haar best gedaan. Maar wie moest ik in godsnaam uitnodigen naast Hanna en Marjolein? De waarheid was dat ik niemand anders wist om te vragen. Of eigenlijk, er was wel iemand anders die ik dolgraag op mijn feestje wilde, maar die sprak ik bijna nooit meer: Karlijn.
Opeens kreeg ik een idee. Mijn slaapkamerraam keek uit op de straat en ik ging, half verscholen, achter de gordijnen staan. Het duurde voor mijn gevoel een eeuwigheid, maar toen Karlijn eindelijk verscheen, rende ik de trap af naar buiten.
'Hoi,' zei ik. 'Alles goed?'
Ze maakte haar kettingslot los en zei met een glimlach: 'Hé, Eva, dat is toevallig. Ga jij nu ook naar school?'
Ik knikte. 'Zullen we samen fietsen?' vroeg ik zo nonchalant mogelijk. 'Of wacht je nog op Puck?'
Puck bleek bij de tandarts te zijn en zo gebeurde het dat we samen naar school fietsten. We praatten over van alles en nog wat. Karlijn lachte en legde haar hand op mijn arm. Het voelde bijna net zo vertrouwd als vroeger. Ik hoopte dat we elkaar vanaf nu weer wat vaker zouden zien.
'Weet je,' zei ik met nieuw zelfvertrouwen. 'Ik ben vandaag jarig.'
Er verscheen een geschrokken uitdrukking op Karlijns gezicht. 'Oh, wat erg. Ik ben je verjaardag helemaal vergeten. Wat stom. Maar ik heb het zo druk gehad met school. Sorry.' Ze kneep zachtjes in mijn arm. 'Gefeliciteerd.'

'Maakt niet uit,' zei ik, en ik meende het. Wat nu kwam was veel belangrijker voor me: 'Ik geef vanavond een feestje. Niks bijzonders, gewoon een paar goede vriendinnen. Kom je ook gezellig?'
Aan haar afgewende blik kon ik al meteen zien wat het antwoord werd: nee.
'O, wat jammer,' zei Karlijn. 'Maar ik kan vanavond niet. Ik ga met de ouders van Puck naar een toneelvoorstelling. Dat kan ik echt niet afzeggen. Anders had ik het heel leuk gevonden om te komen.'
Ik keek naar de glimlach op haar gezicht en voelde de tranen achter mijn ogen prikken. Ik was diep gekwetst. Karlijn had niet duidelijker kunnen zijn: Puck had definitief mijn plek ingenomen.
Het verbaast me dat ik opeens hieraan denk. Ik was deze herinnering eigenlijk allang vergeten. Maar mijn hoofd lijkt sinds Karlijns dood wel een op hol geslagen fotoboek: uit alle hoeken en gaten komen zomaar ineens herinneringen tevoorschijn.
Ik rij de Koningslaan in. Aan de overkant van Nouts huis zet ik mijn fiets tegen een lantaarnpaal op slot. Mijn ogen gaan langs de hoge ramen, de wit gepleisterde gevel en de keurig geknipte haag van de voortuin. Aan het eind van de oprijlaan zie ik het Vondelpark liggen. Ik steek de straat over. Mijn hart bonkt als ik door een raam gluur. Het huis ziet er donker en verlaten uit. Zoekend kijk ik om me heen. Wat moet ik nu doen? Tot hier ging mijn plan. Ik zou graag in Nouts kamer willen rondneuzen, maar hoe krijg ik dat in vredesnaam voor elkaar?
In een reflex bel ik aan. Het zweet breekt me uit. Mijn god, straks doet iemand open! De gang blijft donker.

Het lijkt erop dat er niemand thuis is. Mijn hart mist een paar slagen als de deur plotseling opengaat.
'Si?' Een wat oudere vrouw met kort donker haar staat in de deuropening. Ze houdt een bezem vast en neemt me wantrouwig op.
'Eh... ik ben een klasgenootje van Nout,' hakkel ik. 'Ik... ik kom een boek ophalen. Nout weet ervan.' Mijn wangen gloeien en ik weet zeker dat mijn hoofd onder de rode vlekken zit. Ik ben niet geschikt voor dit soort stiekeme acties.
Ze schudt geërgerd haar hoofd. 'Ik niet snappen. Jij Spaans spreken?'
Ik kijk haar hulpeloos aan. Mijn Spaans is verschrikkelijk slecht. Dit gaat me nooit lukken. 'Nout is een vriend van school, eh... *amigo escuela,*' probeer ik. Met mijn handen maak ik het gebaar van een boek. *'Libro. Comprender?'*
De vrouw kijkt me ongeïnteresseerd aan. *'No.'*
'Mag ik binnenkomen?' vraag ik, terwijl ik naar de gang wijs. *'Por favor. Yo amiga Nout.'*
'Ah!' Er breekt opeens een glimlach door op het gezicht van de vrouw. Ze ratelt een paar zinnen in rap Spaans. Ik heb geen idee wat ze zegt, maar ik knik vriendelijk. Ze doet een stap opzij en houdt de deur voor me open.
Ik loop de gang in. De vrouw wijst naar de trap en zegt, als ik het goed begrijp, dat de kamer van Nout boven is. Dan gaat ze verder met vegen.
Ik vind Nouts kamer op de tweede verdieping. Er hangt een basketbalkorf aan zijn deur waaronder een A4'tje is geplakt met een satellietfoto van Google Earth. Ik herken het Vondelpark en dit huis.
Ik klop op de deur en roep zijn naam. Geen antwoord.

Natuurlijk niet, want Nout zit op school. Maar toch zijn mijn handen vochtig als ik de deurklink naar beneden druk. De deur gaat piepend open.
'Hallo? Nout?' roep ik nogmaals voor de zekerheid. Ik heb geen flauw idee wat ik moet zeggen als hij opeens zou antwoorden.
Het blijft stil en ik stap naar binnen. Ik sta in een doodnormale jongenskamer. Aan de muur hangen voetbalposters en een paar vergeelde bierviltjes. Op de plank boven zijn bed staat een grote verzameling Coca-Colablikjes. Verder zie ik nog een tv, een bureau, wat boeken en tegen de muur een tennisracket.
Wat had ik dan verwacht? Foto's van Karlijn met klodders rode verf erop? Vreemde graffititeksten op de muur? Kettingzagen en messen onder zijn bed? Ik zucht en loop naar zijn bureau. Het is een enorme troep. Papieren, pennen, verfrommelde snoeppapiertjes en cd-roms liggen verspreid over het bureaublad. Ik vraag me af hoe Nout hier in godsnaam ooit zijn huiswerk kan maken.
Onder een opengeslagen Engels woordenboek zie ik ineens een schoolagenda liggen. Zou hij zijn agenda vergeten zijn? Even kijken kan geen kwaad, denk ik, en ik vis de agenda onder het woordenboek vandaan. Het is een South Park-agenda met voorop de tekst: *Screw School!* Op de eerste bladzijde staat Nouts naam geschreven. Bingo! Ik blader verder. Hier en daar staan wat afspraken.
Naar de tandarts, huiswerkopgaven, tennistraining, het is allemaal niet interessant. Ik zoek september op, een paar weken voor Karlijns dood. Op donderdag 7 september is een afspraak onderstreept met markeerstift: *20.00 uur, bij Karlijn*. Het is vreemd om de afspraak waar-

over ik gister in Karlijns dagboek heb gelezen, in Nouts agenda terug te vinden. Op die dag had ze het waarschijnlijk uitgemaakt. Ik blader verder. Na 7 september staat er een week lang niks in zijn agenda, net alsof Nout tijdelijk van de wereld is verdwenen. Vanaf half september verschijnen er weer afspraken en aantekeningen. En ik kom opeens opvallend vaak de afkorting PP tegen. Soms met de notitie: *bellen*. Of: *zien*. Wie zou PP zijn? Ik heb geen flauw idee. Maar het is in ieder geval iemand die pas na 7 september belangrijk is geworden voor Nout.
'Wat doe jij hier in godsnaam?'
Ik schrik zo van het onverwachte geluid van Nouts stem, dat ik als bevroren blijf staan.
'O, jezus,' mompel ik en ik zou het liefst door de grond willen zakken.
In een paar stappen staat Nout voor me. Hardhandig pakt hij mijn arm beet.
'Wat doe jij hier, stomme trut. Eva was het toch? Verdomme, als mijn les niet was uitgevallen, dan had ik je nooit in mijn kamer gevonden.'
Ik kijk naar zijn gezicht dat rood aangelopen is. Ik kan geen woord uitbrengen, zo bang ben ik.
'Nou, vertel op, wat doe je in mijn kamer? Je hebt wel lef om zomaar in te breken!'
Dit ziet er niet goed uit. Helemaal niet goed zelfs. 'Ik, eh... was toevallig in de buurt en wilde je wat vragen,' verzin ik. Mijn stem klinkt hoog en iel.
Woedend knijpt Nout in mijn arm. 'Je liegt. Wat mankeert jou? Ik ga de politie bellen.'
'Nee,' piep ik angstig. 'Niet doen. Het is dom dat ik hier ben. Maar ik vond dat je gisteren zo vreemd reageerde

toen we het over Karlijn hadden. Dus ik dacht...' Ik wend mijn hoofd af.
'Wat?' roept Nout. 'Je bent knettergek! Stiekem mijn kamer doorzoeken en mij dan ook nog eens beschuldigen van... Ja, van wat eigenlijk? Jij zou in een inrichting moeten zitten!'
Hij laat mijn arm los en slaat met zijn vlakke hand op het bureaublad. 'Je hebt het helemaal bij het verkeerde eind, Sherlock Holmes. Wil je weten waarom ik gisteren geen zin had in een gezellig gesprekje over Karlijn?'
'Omdat je haar mist?' zeg ik zo dapper mogelijk en ik probeer mijn angst te negeren.
'Echt niet,' antwoordt Nout fel. 'Zegt de naam Joost je wat?'
Ik schud mijn hoofd.
Nout haalt diep adem en zwijgt zeker een halve minuut. Als hij weer praat, klinkt hij veel rustiger. 'Karlijn was sinds de vakantie zichzelf niet meer,' zegt hij afwezig. 'Het leek wel alsof ze zich steeds verder van me verwijderde. Wat ik ook deed, het hielp niet. De afstand tussen ons werd steeds groter. En toen kregen we ruzie op school. Ze zei dingen die me enorm pijn deden. Ik was zo boos op haar. En toen kreeg ik een mailtje dat ze me wilde spreken. Ik dacht dat we er nog over konden praten... Dat we er samen wel uit gingen komen. Maar ze vertelde me doodleuk dat ze was vreemdgegaan. Met Joost, een of andere student. Ze heeft me als een stuk vuil aan de kant gezet. God, wat heeft ze me gekwetst.'
Nout brengt zijn gezicht dichtbij mij. 'Snap je dat? En kun je ook snappen dat ik daarom liever niet over Karlijn praat?'

De flits van angst is terug in zijn ogen. Maar het kan ook verdriet zijn, begrijp ik nu.
Hij wrijft met zijn knokkels over zijn gezicht. 'Toen Karlijn doodging, had ik haar al in geen weken meer gesproken. Weet je nu genoeg? Of wil je nog meer dingen oprakelen?'
Ik staar naar de grond. 'Sorry,' zeg ik schor. 'Het spijt me echt... Ik wist niet van Joost... Ik had hier niet moeten komen.'
'Wat heeft Karlijn in godsnaam in je gezien?' zegt Nout minachtend. 'Ik kan me niet voorstellen dat je haar vriendin bent geweest. Je bent echt de zieligste persoon die ik ooit ben tegengekomen.'
De tranen springen in mijn ogen.
'Ga buiten maar een potje janken.' Nout pakt mijn schouder beet en duwt me door zijn kamer. 'Je hebt mazzel. Ik ga geen aangifte doen. Ik wil geen seconde langer van mijn tijd aan jou verspillen.'
Bij de deur blijft hij staan en hij wijst naar mij. 'Ik wil je hier nooit meer zien. Laat me met rust. Anders bel ik alsnog de politie.'
Ik sta op de gang en Nout slaat de deur met een klap dicht. Ik ren de trap af, naar buiten, richting mijn fiets. De tranen stromen over mijn wangen. Mijn handen trillen zo dat ik mijn fietsslot bijna niet openkrijg. Ik durf niet omhoog te kijken. Want ik voel gewoon dat Nout vanuit zijn slaapkamerraam naar me kijkt.

# Maandag 4 september

Om met het goede nieuws te beginnen: die droom is nog steeds niet teruggekomen. Sinds donderdag zijn er geen vreemde dingen meer in mijn slaap gebeurd. Godzijdank. Vorige week was ik zo moe, angstig en wanhopig. Misschien kwam dat hele nachtmerriegedoe wel doordat ik zo moe was. Zou dat kunnen? Mmm, nou ja, wat het ook is geweest, het is er in ieder geval niet meer. Ik voelde me vanochtend zowaar redelijk vrolijk. Jammer genoeg verdween dit gevoel meteen toen ik 's middags thuiskwam en mijn moeder aan de keukentafel vond.
Want dan nu het slechte nieuws: pap heeft volgens de dokter een depressie. Tenminste, dat heb ik van mama moeten horen, want papa wil er niet met mij over praten. Hij heeft zich opgesloten in zijn werkkamer. De dokter zei dat het een combinatie was van een zware burn-out en onverwerkte dingen uit het verleden. Volgens mam heeft hij de dood van zijn vader nooit goed verwerkt en komt dat momenteel boven. En papa blijkt ook nog te zitten met een auto-ongeluk waar hij vroeger bij betrokken is geweest. Er is toen iemand overleden, en dat spookt nog door paps hoofd, ook al was het niet zijn schuld.
Mama zat daar maar, quasizielig en gewichtig, al die dingen

over pap te vertellen. Ik kreeg het warm en koud tegelijk. Ik moest heel hard op mijn lip bijten om niet te gaan huilen.
'Luister, Karlijn,' zei mam sussend, 'ik weet hoe dol je bent op je vader. En dat dit ook heel moeilijk voor jou is. Maar we komen hier met z'n allen weer bovenop, geloof me.' Ze liet haar bekende Mona Lisa-glimlach zien, god, wat haat ik die.
Mam bloeit altijd op in crisissituaties. Hoe groter het verdriet, hoe zelfvoldaner ze lijkt. Net alsof ze geniet van de rol van zorgzame moeder en echtgenote, bweh! Mama is voor mij het voorbeeld hoe ik later niet worden moet. Altijd zuchten en klagen over allerlei onbelangrijke dingen, mij het leven moeilijk maken, en dan opeens verwachten dat ik bij haar ga uithuilen.
Ik sprong op van mijn stoel en riep: 'Wé komen hier weer bovenop? Wé? Je zit altijd op papa te mopperen en te zeuren over zijn werk. Dit is ook jouw schuld.'
Mijn moeder keek me een paar seconden aan en zei toen: 'Karlijn, in godsnaam! Doe niet zo onredelijk.' Haar wangen werden vuurrood. 'Ik hou heel veel van je vader. Dat we soms ruzie hebben, wil nog niet zeggen dat ik verantwoordelijk ben voor zijn depressie.' Ze stond op en liep naar me toe. 'O, lieverd, we moeten elkaar helpen.' Maar voor ze bij me was, schreeuwde ik: 'Laat me met rust.' Ik draaide me om en rende naar mijn kamer. Ik sloeg de deur achter me dicht en viel huilend op mijn bed.
Deze ruzie met mam was drie uur geleden. Mijn wangen voelen nog steeds warm en branderig aan van mijn tranen. Elke keer als ik aan papa denk, ben ik bang dat mijn hart in duizend stukjes breekt en afsterft. Ik zou niks liever willen dan hem helpen, maar ik weet niet hoe. Ik mis hem.

Het voelt bijna alsof hij er niet meer is. Om zeven uur begint mijn dienst in De Toog. Idioot om te moeten gaan werken als je wereld langzaam instort. Mijn vader is depressief, ik ga het deze donderdag uitmaken met Nout en ik heb mijn moeder afgesnauwd. Nog even en ik bezwijk aan al mijn problemen.

## Woensdag 6 september

Eigenlijk wil ik helemaal niets opschrijven. Er bestaan geen woorden die mijn stemming goed kunnen omschrijven. Maar het lijkt me ook niet verstandig om alles op te kroppen. Kan wel janken. DE DROOM is weer terug! Vannacht! Boem, zomaar opeens, net terwijl ik dacht dat ik me alles had ingebeeld. Mijn hoofd is een warrige, kloppende, pijnlijke chaos. Word ik krankzinnig? Misschien moet ik naast papa gaan liggen. Wie weet zijn depressies en andere geestesziektes wel erfelijk. De muren van mijn kamer komen op me af. Ik moet hier weg. Ik ga een stukje wandelen. Het maakt niet uit waarheen. Als ik maar in beweging ben en niet hoef na te denken.

## Donderdag 7 september 07.45 uur

Zo! Ben net thuis. Heb nog dezelfde kleren aan als gisteren. En ik ruik, ja, ik ruik naar alcohol, sigaretten en... Joost! Zou iedereen vanochtend op straat door hebben gehad wat ik heb gedaan? Hmmmm, dat zou erg gênant zijn. Ik ben net ons huis binnengeslopen. Ik kan onmogelijk mijn ouders onder ogen komen in deze toestand; ik zou al gaan stotteren en blozen bij de herinnering aan vannacht.
Maar laat ik bij het begin beginnen. Gistermiddag ging ik dus een stukje wandelen. Ik liep gewoon een kant uit. Het enige wat ik wilde, was rust in mijn hoofd. Ik was moe, verdrietig, wanhopig, angstig, god, wat was ik niet? Er hoefde maar iets te gebeuren, en ik ging huilen. Ik slenterde door de stad en af en toe sloeg ik een willekeurige straat in. Uiteindelijk, na zeker een uur lopen, stond ik voor de ingang van het Oosterpark. Mijn voeten deden pijn en ik kon niet meer. Ik ging op een bankje zitten en staarde voor me uit.
'Rotdag?'
Ik had niet gemerkt dat er iemand naast me op het bankje was komen zitten. Een jongen. Ik draaide mijn hoofd om en keek hem aan. Eerste indruk: een stoer gezicht met bruine krullen, blauwe ogen en een donkere waas van

baardstoppels op zijn kin en wangen. Tweede indruk na iets langer kijken: er lag iets sombers in zijn ogen wat hem nog aantrekkelijker maakte.
'Ja,' antwoordde ik.
'Ik ook,' zei de jongen.
Daarna zaten we een paar minuten naast elkaar zonder iets te zeggen. Het voelde niet ongemakkelijk. Ik wilde niet praten over mijn problemen, en hij leek evenmin de behoefte te hebben om iets uit te leggen.
'Woon je hier in de buurt?' vroeg hij, en ik zei van niet. 'Ergens in Zuid,' mompelde ik.
Hij vertelde dat hij hier ook niet woonde en hoe toevallig het was dat we elkaar vandaag op een bankje in het Oosterpark waren tegengekomen. Hij glimlachte en schoof iets dichter mijn kant op.
'Ik ben Joost,' zei hij. 'Zullen we wat gaan drinken?'
Ik denk dat ik normaal gesproken nooit met hem was meegegaan. Maar het liet me op dat moment koud wat ik anders deed. Ik had geen zin meer om na te denken. Ik had zin om alles te vergeten.
'Best,' zei ik. 'Ik heet trouwens Karlijn.'
We liepen naar een klein, bruin café in De Pijp. Ik ben de naam vergeten. Het was erg rustig in het café, waarschijnlijk omdat het nog geen vijf uur was. Er zaten een paar oude mannen aan de bar en uit de geluidsinstallatie kwam een smartlap. Wij gingen aan een tafeltje in de hoek zitten.
Een vrouw kwam onze bestelling opnemen. Joost bestelde twee jenever Cola. De drankjes werden gebracht.
We proostten (op het toeval dat we elkaar waren tegengekomen) en sloegen het glas in één keer achterover. De tranen sprongen in mijn ogen, zo sterk was het

drankje. Joost glimlachte en bestelde nog twee jenever Cola.
'Wil je een sigaret?' vroeg hij terwijl hij een pakje Marlboro uit zijn jas viste.
'Lekker.'
Joost stak een sigaret voor zichzelf en mij aan. Hij zag er supersexy uit. Toen vertelde hij dat hij tweedejaarsstudent Geneeskunde was. Hij vroeg wat ik studeerde (megacompliment! Blijkbaar zie ik er uit als een student!). Ik zei dat ik eindexamen deed, maar dat scheen hij niet erg te vinden. Hij bestelde opnieuw twee jenever Cola. Vervolgens begon hij te vertellen over zijn eindexamen. Hij was een keer gezakt. Joost heeft vast en zeker ook nog andere dingen verteld, maar ik ben het vergeten.
'Meer jenever Cola!' riep Joost. Er kwamen weer twee volle glazen. Ons tafeltje bewoog. Of het was zo dat ik niet meer recht kon zitten? Toch voelde ik me prima. Ik kon me opeens niet meer voorstellen dat ik dit een rotdag had gevonden.
Hij legde zijn hand op mijn been. 'Je bent heel bijzonder. En mooi. Het is jammer dat we elkaar niet eerder zijn tegengekomen.'
Zomaar ineens zei ik dat ik een vriend had. Maar dat ik het ging uitmaken. 'Het gaat al een tijdje niet zo goed tussen ons.'
'Het is oké,' zei Joost. 'Het maakt me niet uit, echt niet.' Zijn hand kroop langzaam over mijn been omhoog. 'Ik ga de rekening vragen.'
Eenmaal buiten stamelde ik onhandig: 'Nou, eh... ik neem de tram. Anders ben ik zo laat thuis. Ik kom je nog wel eens tegen.'

Joost sloeg zijn armen om mijn schouders. 'Wil je mijn kamer zien? We kunnen een taxi nemen, als jij dat ook een goed idee vindt?' Hij bracht zijn lippen naar mijn nek en gaf kleine zoentjes achter mijn oor.
'Dat lijkt me heel gezellig,' brabbelde ik, en gelukkig hield Joost me stevig vast, want mijn benen veranderden in kauwgom.
Even later waren we bij zijn huis: een groot studentenhuis aan de Keizersgracht. Joost woonde daar samen met vijf andere jongens, maar die waren er gelukkig niet.
In zijn kamer drukte hij me tegen zich aan. Zachtjes streek hij over mijn wenkbrauwen, langs mijn wangen, naar mijn mond. Toen legde hij zijn handen rond mijn gezicht en kuste me. Het was zo teder en romantisch!
Joost trok mijn jas uit, mijn trui, mijn T-shirt; een voor een vielen mijn kleren op de grond totdat ik alleen mijn ondergoed nog aan had. Ik was niet zenuwachtig; ik vond het juist wel spannend. Joost wurmde zich uit zijn eigen kleren, en opeens stond hij in zijn boxer voor me. Zijn vingers maakten mijn bh los en kropen naar beneden. Ik hield zijn hand tegen.
'Eh... dit heb ik nog nooit gedaan,' mompelde ik.
Schor fluisterde hij: 'Het is oké. Ik zal heel voorzichtig zijn. Vertrouw me, alsjeblieft.' Hij veegde een pluk haar uit mijn ogen, en duwde me voorzichtig op zijn bed.
Ik durf niet op te schrijven wat we toen allemaal hebben gedaan (stel je voor dat mijn moeder stiekem mijn dagboek leest), maar het was ge-wel-dig!!! Zo bijzonder!
Toen ik daarna met mijn hoofd op zijn schouder lag, stevig in zijn armen, moest ik een beetje huilen. Joost was zo verschrikkelijk lief geweest. Sinds ik hem was

tegengekomen op het bankje, leken al mijn problemen zo ver weg.
Hij omhelsde me. 'Blijf je slapen?'
Ik wilde niets liever. Ik stuurde een sms naar mijn moeder dat ik huiswerk bij Puck aan het maken was en dat ik bij haar bleef eten en slapen. Dat vond mam altijd goed.
Toen sprak ik op het antwoordapparaat van De Toog in dat ik ziek was en niet kon komen werken. Grappig trouwens, Joost blijkt op vrijdagmiddag altijd met zijn voetbalvrienden in De Toog een borrel te drinken. Ik had hem dus al veel eerder kunnen ontmoeten! Uiteindelijk gaf ik Joost een zoen en herhaalden we alle dingen (en meer!) die we daarvoor ook hadden gedaan.
Het idiote is dat ik de hele avond en nacht niet aan Nout heb gedacht. Ik verkeerde in een soort gelukzalige roes. Maar nu komt de paniek op. Wat moet ik vanavond tegen Nout zeggen? Wat een klote timing. Had ik niet één avond met Joost kunnen wachten? Ik voel me opeens hopeloos schuldig. Aan de andere kant: maakt het enig verschil? Ik was toch van plan het uit te maken met Nout. Misschien moet een mens soms wat egoistisch en zelfzuchtig zijn in dit soort situaties. Zucht. Dit is makkelijker geschreven dan gedaan: mijn maag draait zich om als ik aan vanavond denk. Ik ga nu snel douchen en andere kleren aantrekken, anders kom ik te laat op school.

# Donderdag 7 september 21.30 uur

Alsjeblieft, alsjeblieft, ik wil dit nooit meer in mijn leven meemaken! Het was dramatisch. Dat is de enige omschrijving die ik kan geven van mijn gesprek met Nout. Ik kan gewoon niet geloven dat het zo gelopen is.
Nout was er iets te vroeg, ongeveer vijf minuten voor acht. Hij kwam mijn kamer binnen en zei: 'Hai.'
'Hallo,' antwoordde ik zenuwachtig. 'Wil je wat drinken?'
'Nee.' Nout kwam naar me toe en kuste mijn wang. Even dacht ik dat hij me wilde omhelzen. Maar hij ging op mijn bureaustoel zitten en keek me afwachtend aan.
Ik ging tegenover hem op mijn bed zitten. 'We moeten praten.'
'Dat moeten we zeker.' Zijn vingers trommelden op mijn bureau. 'Ik ben blij dat we alles nu eindelijk kunnen uitpraten,' zei hij opeens zacht. 'Ik heb je gemist, Karlijn. Je betekent heel veel voor me'
Mijn maag veranderde in een bal met zenuwen. Waarom zei hij dit? Ik had gehoopt dat Nout nog steeds kwaad op me was. Dat had alles veel makkelijker gemaakt. Ik probeerde moed te verzamelen.
Met dichtgeknepen keel zei ik: 'Het gaat zo niet langer.'
Nouts wenkbrauwen schoten omhoog. 'Hoe bedoel je?'
Ik staarde naar de grond. 'Het gaat zo niet langer tussen

ons. Misschien is het beter dat we elkaar niet meer zo vaak zien.'
'Wat? Niet meer zo vaak zien? Ik snap het niet. Jezus, Karlijn, kijk me aan als je dit soort dingen tegen me zegt.'
Ik keek omhoog. Nouts gezicht was wit en strak.
Hij herhaalde dat hij het niet snapte. 'Heb je soms ruimte nodig? Is dat het?' vroeg hij.
Ik schudde mijn hoofd. 'Nee.' Nu moet het gebeuren, dacht ik, zeg het! Ik haalde diep adem. 'Ik ben niet meer verliefd op je,' fluisterde ik.
Een paar seconden lang gebeurde er niks. Nout staarde me alleen maar aan. Ik was bang dat hij me niet begreep. Of dat hij me niet had gehoord.
Maar toen vloekte Nout. Hij verborg zijn hoofd in zijn handen.
'Het spijt me,' zei ik, omdat ik iets wilde zeggen.
Hij hief zijn hoofd op. De tranen rolden over zijn wangen. 'Ik begrijp het niet,' mompelde hij.
Ik voelde me zo slecht. En gemeen. Nout zag er intens verdrietig uit, en dat kwam allemaal door mij.
Ineens vroeg hij: 'Is er een ander?'
'Wat?'
'Is er een ander, Karlijn? Maak je het daarom uit?'
Ik staarde weer naar de grond. Ik hoorde het schuiven van een stoel, voetstappen, en toen stond Nout voor me. Hij trok me omhoog en kneep hard in mijn arm. Dit was absoluut niets voor hem.
'Er is een ander,' siste hij. 'Hoe heet hij?'
Ik was zo in paniek dat ik niks meer kon uitbrengen.
'Verdomme, zeg me hoe hij heet.'
'Joost,' stamelde ik en ik begon te huilen.

Nout kneep nog harder. 'Joost,' herhaalde hij kil. 'Je bent dus vreemdgegaan.'
Daarna wilde hij weten wat er precies tussen Joost en mij was gebeurd. En wie Joost was. Die informatie was ik hem verschuldigd, zei hij. En ik moest niet tegen hem liegen, want dat had hij toch meteen door.
Ik weet niet meer hoe ik het Nout heb verteld, maar toen hij alles wist, ontplofte hij.
'Hoe kan je dit doen?' schreeuwde hij. Hij trapte de bureaustoel omver en rukte mijn Brad Pitt-poster van de muur. 'Waarom? Wat heb ik je in godsnaam misdaan? Je bent met een andere jongen naar béd gegaan! Was het soms je bedoeling om me zoveel mogelijk te kwetsen? Nou, dat is je gelukt. Kon je het niet eerst uitmaken?'
Ik wist niks te antwoorden, want ik begreep zelf ook niet waarom alles zo was gelopen. Ik huilde zo hard dat ik Nout niet meer scherp zag.
'Rot toch op met je gejammer. Ik wil je nooit meer zien.'
Hij sloeg mijn kamerdeur achter zich dicht en liep de trap af. Even daarna hoorde ik de voordeur open- en dichtgaan.
Ik ben in bed gekropen en heb bijna een uur lang naar het plafond gestaard. Nout en ik zijn meer dan zeven maanden samen geweest en nu is het voorbij, zomaar ineens. Het enige wat ik voel is opluchting dat het eindelijk voorbij is en dat Nout weg is. Het voelt alsof ik een marathon heb gelopen en nu uitgeput lig bij te komen.
Ik ga Puck bellen. Waarschijnlijk wacht ze al vanaf 8 uur bij haar telefoon om te horen hoe het is afgelopen. En ik moet haar natuurlijk ook alles over Joost vertellen.

# Donderdag 26 oktober

Doodmoe ben ik. Zodra ik buiten kom en naar mijn fiets loop, haal ik diep adem. Ik snak naar frisse lucht. Mijn hoofd bonst en voelt zwaar aan. Vannacht heb ik opnieuw weinig geslapen. Tot twee uur heb ik in Karlijns dagboek liggen lezen. Ze was inderdaad vreemdgegaan met Joost, en dat had ik niet geweten. Ik moest opnieuw onder ogen zien hoe weinig ik eigenlijk van haar wist. Waarom doet me dat toch elke keer weer pijn?
Ik heb mijn moeder niks verteld over mijn uitstapje naar Nout. Toen ze gisteren van haar werk thuiskwam, trof ze mij lusteloos zappend voor de tv aan met een zak paprika chips. Ze drukte de tv uit en ging naast me zitten.
'Ik ben door school gebeld,' zei ze.
Mijn hart stond stil. 'O ja?' zei ik zo achteloos mogelijk. 'Waarom dan?'
Ze zweeg een paar seconden. 'Je had je ziek gemeld. En dat wilde de conciërge bij mij controleren. Ik heb gezegd dat je griep had.'
Ik wist even niks te antwoorden, zo opgelucht was ik dat mijn moeder mijn verhaal niet had tegengesproken.
'Waarom heb je mij niet gebeld dat je ziek was?' vroeg ze. Er lag een licht beschuldigende klank in haar stem.

Mijn wangen gloeiden. 'Ik, eh... wilde je niet storen op je werk. En ik had zo'n hoofdpijn dat ik meteen ben gaan slapen,' zei ik, terwijl mijn wangen nog warmer werden.
Ze stond op. 'Gelukkig gaat het nu weer beter met je, zo te zien. Ik ga eten koken.' Maar haar blik zei: ik geloof niks van het verhaal en je mag blij zijn dat je er zo gemakkelijk vanaf komt.
Ik vond het verschrikkelijk om tegen mijn moeder te liegen, maar ik kon haar onmogelijk de waarheid vertellen. Ik schaam me nog steeds dood voor mijn actie van gisteren. Stel je voor dat Nout de politie wél had gebeld! Dan had mijn moeder me waarschijnlijk van het politiebureau moeten ophalen.
Ik knoop mijn jas dicht. Het motregent en mijn fietszadel is nat. Normaal gesproken ben ik dol op de herfst. Ik hou van de rode en gele blaadjes die de straten van Amsterdam opvrolijken en de wind die de stad daarna onstuimig schoon blaast. Maar dit jaar lijkt alles zo nat, somber en kleurloos.
Langzaam fiets ik naar school. Ik moet wel, want als ik nog een dag thuisblijf krijg ik problemen met mijn moeder. Een waas van fijne regendruppeltjes kleeft aan mijn gezicht. Ik zie mijn spiegelbeeld in een grote ruit een stukje met me meefietsen: een mollig meisje met een vormeloze, oranje regenjas en de pijpen van haar spijkerbroek opgerold omdat ze anders nat worden. Soms snap ik niet waarom ik besta, zo onopvallend ben ik.
Ik kijk op mijn horloge. Ik heb nog vijf minuten voordat mijn les begint. En voordat ik Nout tegen het lijf kan lopen. Zou hij zijn vrienden hebben verteld over mijn

inbraak? Ik wou dat ik de tijd kon terugdraaien en dat ik nooit naar Nout was gegaan. Ik wou dat ik de tijd nog verder kon terugdraaien en dat Karlijn nooit bij me was gekomen met haar droom. Ik wou dat ik kon ophouden met piekeren en mezelf de schuld van alles te geven. Ik wou dat alles weer normaal werd.

Ik loop met Hanna en Marjolein naar de kantine. We hebben net een uur Nederlands achter de rug en het is pauze. Hanna en Marjolein praten over een opstel dat we moeten maken, maar ze betrekken mij niet echt bij het gesprek. Als ik iets probeer te zeggen, negeren ze me. Zo gaat dat al vanaf vanochtend. Ik weet dat ze boos op me zijn. Ik ben eergisteren tenslotte zomaar weggelopen zonder een goede verklaring te geven.
In de kantine halen Hanna en Marjolein koffie. Ik blijf onzeker staan. Ze komen terug, ook met koffie voor mij.
'Alsjeblieft,' zegt Hanna. 'Met veel melk en twee klontjes.'
'Bedankt.'
'Oké,' mompelt Hanna. Ze duwt haar bril hoger op haar neus en kijkt me lang aan. Marjolein neemt hapjes van een gevulde koek en staart naar het plafond. Ik voel me hoogst ongemakkelijk.
'Het spijt me van dinsdag,' zeg ik uiteindelijk.
Hanna knikt. 'Dat was niet aardig van je, Eva. We hadden...'
'Het was gewoon een klotestreek,' valt Marjolein haar in de rede. 'Hoe kan je ons zomaar laten zitten? Dat slaat echt nergens op.' Haar stem klinkt veel harder dan die van Hanna.

Hanna werpt een vermoeide blik naar Marjolein. 'Laat mij nou even. Zo hebben we het afgesproken.'
Ze hebben twee dagen lang over me gepraat, begrijp ik uit deze opmerking.
'Het spijt me echt,' zeg ik lamlendig. 'Het was niet de bedoeling om jullie te kwetsen.'
Er valt een lange stilte. Waarschijnlijk verwachten ze meer uitleg van me. Ik trek aan een pluisje op mijn gebreide, zwarte vest en kijk naar de afgekloven nagels van mijn hand.
'Je was gister niet op school. Was je ziek? En liet je ons daarom dinsdag in de steek?'
Ik kijk op. Hanna's grijze ogen staren me ernstig, vermoeid aan.
'Zoiets.'
'Wat is er toch met je aan de hand?' Hanna zucht. 'Je doet zo vreemd de laatste tijd. Marjolein en ik maken ons zorgen.'
'Het is Karlijn,' zeg ik zwakjes en ik ontwijk Hanna's blik.
Marjolein trekt haar wenkbrauwen op. 'Wát? Kárlijn?' roept ze net iets te hard. 'Je bedoelt dat kind dat je vijf jaar geleden als een baksteen heeft laten vallen en daarna nooit meer naar je heeft omgekeken? En die nu dood is?'
'Laat Eva zelf vertellen wat er met Karlijn is,' zegt Hanna zacht. Tegen mij zegt ze aarzelend: 'Waarom heb je me dat de vorige keer niet verteld toen ik het vroeg?'
Ik hoor aan de trilling in haar stem dat ze zich gekwetst voelt.
'Ik weet het niet. Sorry,' fluister ik en ik bijt op mijn lip. 'Ik kan Karlijns dood maar niet uit mijn hoofd krijgen.

Ik, eh... ik mis haar meer dan ik had gedacht.' Ik doe mijn mond weer open en wil Hanna en Marjolein ook vertellen over mijn schuldgevoel, de dingen die ik in Karlijns dagboek heb gelezen en over mijn domme actie van gisteren. Er komt geen woord over mijn lippen. Ik sta daar maar met mijn mond open en ik besef hoe idioot alles zou klinken. Ik bijt nog harder op mijn lip en proef de roestige smaak van bloed.
'Je mist haar? Hoezo?' Er ligt een verbijsterde, ongelovige uitdrukking op Marjoleins gezicht.
'Eh... ja, ik weet dat het vreemd klinkt, maar het is gewoon zo. Ik moet opeens heel vaak aan vroeger denken. Hoe alles was op de lagere school en zo. De laatste tijd komen er steeds meer herinneringen terug.'
'Je moet aan vroeger denken? Denk je eigenlijk wel 'ns aan Hanna en mij? Dat zou je eens moeten doen. Op de een of andere manier krijg ik het gevoel dat wij niet zo belangrijk voor je zijn. Is dat zo?'
Ik staar geschrokken naar Marjolein, met haar knalrode wangen en boze blik. Blijkbaar heb ik een grens van onze vriendschap bereikt. Ik wil Hanna en Marjolein niet verliezen. Dan heb ik niemand meer.
Ik wend me tot Hanna. Haar grijze ogen staan verdrietig achter haar brillenglazen, maar ze kijkt niet boos.
'Het spijt me. Hanna? Marjolein? Het spijt me echt. Jullie zijn heel belangrijk voor me.'
Ik wacht.
Stilte. Hanna staart naar haar handen en Marjolein kijkt me met gefronste wenkbrauwen aan.
Ik moet nog wat zeggen. 'Het laatste wat ik wil is jullie pijn doen. Geloof, me. Alsjeblieft.'
Het lijkt alsof Hanna op het punt staat te antwoorden

dat ze me niet gelooft, maar dan knikt ze en pakt ze mijn hand. 'Oké. Maar het zou wel fijn zijn als je dat in het vervolg wat meer laat blijken.'
Ik knik.
In Hanna's oog blinkt iets. 'Ik snap best dat Karlijns dood je veel doet. Maar laat ons je dan helpen. Je moet ons niet meer buitensluiten.'
Marjolein haalt alleen haar schouders op.
Dan gaat de bel. Hanna knijp nog even in mijn hand en we lopen naar scheikunde. Ik voel me hol en leeg vanbinnen. Mijn verdiende loon.

Na school wil ik meteen naar huis, zo moe ben ik. Ik wimpel de uitnodiging van Hanna af om thee te komen drinken, en dat lijkt ze niet erg te vinden. Waarschijnlijk hebben we elkaar voor vandaag genoeg verteld. Ik loop naar de fietsenstalling die bijna verlaten is. Een groepje leerlingen rookt onder het afdakje een sigaret. Dan zie ik ze opeens! Nout en Puck! Ze staan in het linkerpad, voorbij het midden, en praten met elkaar. Plotseling zien ze mij ook. Nout wijst naar me. Ik zie dat Puck haar wenkbrauwen optrekt en tegen haar hoofd tikt. Dan gaan ze weer verder met hun gesprek.
Ik wou dat ik weg had kunnen lopen, maar dat zou al te opvallend zijn geweest. Mijn fiets staat helemaal links achterin. Ik moet langs Nout en Puck om er te komen. Ik haal diep adem en begin te lopen. Mijn benen trillen. Mijn handen ook. Ik hoor hen zacht praten, met gedempte stemmen. Als ik wil passeren, verspert Nout me ineens de weg door wijdbeens midden in het pad te gaan staan. Hij torent hoog boven me uit, met zijn handen in de zakken van zijn spijkerbroek gestopt.

Geschrokken doe ik een stap achteruit.
'Sorry, zou ik er even langs mogen?' mompel ik.
Nout kijkt me met een uitdrukkingloos gezicht aan.
'Waarom?'
'Eh... mijn fiets staat daar.'
'Je meent het.'
Puck zegt niets. Ze leunt achteloos tegen het zadel van een fiets en kijkt me met half dichtgeknepen ogen aan. Ze draagt een spijkerjasje, strakke spijkerbroek, en hoge laarzen tot net onder haar knieën. Ik moet opeens weer denken aan de eerste keer dat ik haar ontmoette met Karlijn; toen voelde ik me ook zo ontzettend dik, saai en nietszeggend.
Nout doet een stap in mijn richting. 'Weet je zeker dat dat jouw fiets is?'
'Ja.' Ik schraap zenuwachtig mijn keel.
'En waar ga je dan naartoe met je fiets?'
'Naar huis.'
'Echt waar? Was je vanmiddag niet van plan om ergens in te gaan breken?'
Ik ben even niet tot reageren in staat.
'Ben je soms je tong verloren?' vraagt hij.
Het bloed ruist in mijn oren en mijn mond is droog. Nu moet ik een antwoord geven.
'Mag ik er alsjeblieft langs?' Mijn stem is nauwelijks meer dan een schor gefluister.
'Als je omloopt, kom je ook bij je fiets,' zegt Nout koel. 'Ik heb geen zin om voor jou aan de kant te gaan.'
Puck komt naast hem staan. 'En ik ook niet. Loop maar met die dikke benen van je een eindje om. Wie weet val je nog wat af, dat zou mooi meegenomen zijn, niet?'
Die woorden doen pijn, maar het is het laatste wat ik

hoor, want ik loop zo snel mogelijk weg. De tranen komen onmiddellijk en ik doe geen moeite om ze te drogen. Ik ren terug over het pad, naar de uitgang, over de stoep, langs de straat naar de andere kant van de school waar de tweede ingang van de fietsenstalling is.

## Zondag 10 september 13.00 uur

O, god, ik heb nog niets van Joost gehoord...! Onze laatste kus is precies 3 dagen, 6 uur en 5 minuten geleden. Ik wacht de hele tijd op een telefoontje van hem. Maar niks. Waarom belt hij niet? Vindt hij me niet leuk genoeg? Of had ik niet bij hem moeten blijven slapen? Misschien heeft hij me gewoon gebruikt. Karlijn, hou hiermee op, je maakt jezelf gek met dit soort gedachten. Het lijkt wel alsof ik alleen nog maar aan Joost kan denken. Vrijdag heb ik Nout op school gezien. Hij stond in de grote hal en keek naar het mededelingenbord. Een moment stond mijn hart stil en ik dacht: heb ik een verkeerde beslissing genomen? Maar een paar tellen later verdween dat gevoel en kwam Joost weer terug in mijn hoofd. Ik ben snel doorgelopen en heb Nout de rest van de dag niet meer gezien. Gelukkig maar, want...

Oeps, dat was mijn moeder die net binnenkwam. Ze wilde weten of ik nog witte was had. Hoe onbelangrijk. Mama bleef maar in mijn kamer rondhangen en probeerde te zien wat er op mijn bureau lag. Ik kon nog net op tijd een wiskundeboek op dit schrift leggen.
'Ben je je huiswerk aan het maken?' vroeg ze.
Hoe krijgt ze het voor elkaar om het gesprek binnen

10 seconden op school te krijgen? Mama heeft daar een zeer irritante gave voor.
'Ja,' loog ik. 'En ik moet nog heel veel doen. Zou je de deur alsjeblieft achter je willen dichtdoen?' Ik had geen zin in de bemoeienissen van mijn moeder.
Ze liep naar me toe en legde een hand op mijn schouder. Even was ik bang dat ze me wilde omhelzen, ze had zo'n vreemde blik in haar ogen, maar toen draaide ze zich om en liep de kamer uit. Mam zag er wat verslagen uit.
Mama en ik hebben het niet meer gehad over onze ruzie van maandag. Als we elkaar tegenkomen (en dat is redelijk vaak), doen we net alsof er niets is gebeurd. De afstand tussen ons lijkt opeens een miljard kilometer. Papa bevindt zich ook op een andere planeet. Hij loopt door het huis met een wit gezicht, reusachtige wallen onder zijn ogen en een diepe frons. Ik durf niks tegen hem te zeggen, want stel je voor dat hij gaat huilen. Misschien ben ik ook wel een beetje bang voor papa. Hij kan me ineens vastpakken en heel gek aankijken. Dan vlucht ik maar zo snel mogelijk naar mijn kamer. Er heerst echt een idiote sfeer in huis. Als ik te lang over papa (en mama) nadenk, word ik ook depressief. Dus probeer ik er maar niet al te vaak aan te denken.
Maar goed, voor deze problemen was ik niet begonnen met schrijven. Wat moet ik doen met Joost? We hebben donderdagochtend niets afgesproken, alleen telefoonnummers uitgewisseld. Ik zou hem ook kunnen bellen. Lastig, hij mag niet denken dat ik wanhopig ben. Maar als ik niet bel, dan zie ik hem misschien nooit meer. Ik kan hem natuurlijk opbellen met een smoes. Dat is het! Ik doe net alsof ik donderdagochtend een oorbel bij hem ben kwijtgeraakt.

Zo! Het papiertje waarop Joost zijn telefoonnummer heeft geschreven ligt voor me. En ik heb het nummer al ingetoetst op mijn telefoon. Ik hoef alleen nog maar op 'bellen' te drukken. Wish me luck!

## Zondag 10 september 13.45 uur

Hoera hoera. Het ging geweldig. Ben zo blij dat ik Joost heb gebeld! Hij klonk blij en verrast.
'Hé,' zei hij vrolijk, toen ik zei met wie hij sprak. Hij zei dat hij me dit weekend had geprobeerd te bellen. Yessss! Yessss! Maar dat ik niet opnam. Hij had geen bericht op mijn voicemail achtergelaten, want dat vond hij zo onpersoonlijk.
Ik kan me geen gemiste oproep herinneren, en ik heb toch zeker het hele weekend naar mijn mobiele telefoon gestaard. Maar dat heb ik maar niet tegen hem gezegd.
Toen zei Joost dat hij het onwijs leuk zou vinden om me weer te zien, en of ik vanmiddag misschien rond een uurtje of vijf tijd had om wat te gaan drinken. Ik heb heel rustig geantwoord dat ik wel kon, maar mijn hart ging bonk, bonk, bonk.
Is het niet geweldig? Ik heb straks een afspraakje met Joost! Ik heb de hele middag om na te denken wat ik aan zal trekken. Alles in mijn kast lijkt opeens zo saai. Te keurig, te vaak gedragen, te klein, uitgelubberd, verkleurd enz enz. Ik ga Puck bellen voor advies. Wie weet kan ik wat van haar lenen.

# Zondag 10 september 22.45 uur

Kan alleen nog maar glimlachen, zo geweldig was het om Joost weer te zien. Hij is nog steeds ongelooflijk aantrekkelijk. De vorige keer dat ik hem zag, had hij nog iets sombers over zich heen. Maar nu had hij zo'n volwassen en zelfverzekerde uitstraling. Ik was best wel een beetje bang dat ik zou tegenvallen, maar ik heb me om niks zorgen gemaakt. Hij vond dat ik er geweldig uitzag. Puck had ook een waanzinnig vette outfit voor me samengesteld uit haar kledingkast: een strakke, zwarte broek, haar zilverkleurige shirtje met daarover een spijkerjasje, en hoge laarzen.
Het was echt het ideale afspraakje. Joost flirtte steeds met me. Hij legde af en toe zijn hand op mijn been, of hij raakte mijn gezicht aan. Er is een soort lichamelijke spanning en aantrekkingskracht tussen ons die er met Nout nooit is geweest. Hij heeft me allemaal grappige verhalen verteld over zijn studentenvereniging en zijn vrienden. We dronken rosé en rookten zijn pakje Marlboro in twee uur op. Joost was erg lief en geïnteresseerd en heeft alles voor me betaald (welke jongen doet dat tegenwoordig nog?).
Toen we buiten stonden, vroeg hij of ik met hem mee naar huis ging en wilde blijven slapen. Ik had niks liever gewild,

maar mijn moeder zou het nooit geloven als ik nog een nacht bij Puck ging logeren. Hij keek even heel teleurgesteld toen ik dat zei. Maar daarna begon hij gelukkig weer te glimlachen. We liepen hand in hand naar mijn fiets. Hij raakte mijn gezicht aan en opeens waren Joost en ik alleen op de wereld en bogen we langzaam, heel langzaam naar elkaar toe. En toen onze gezichten bij elkaar waren, zoende hij me vol overgave op mijn mond. Alsof ik zijn vriendin was! Het was geweldig, helemaal geweldig. Zijn mond was zo lief en zacht en voelde zo vertrouwd en toch ook geheimzinnig aan. Hij fluisterde in mijn oor dat hij mij fantastisch vond. En dat hij me snel zou bellen om weer wat af te spreken! Ik ben in een grote, roze wolk naar huis gefietst.

Nu zit ik al een uur in een stoel voor mijn open raam en kijk naar buiten. Het was vandaag een warme dag, maar het koelt snel af. Boven me zijn de lichtjes van ontelbaar veel sterren. Voor het eerst in weken voel ik me weer rustig. En gelukkig. En in balans. Zou er een nieuwe fase in mijn leven zijn aangebroken? Zouden alle problemen, het gepieker, en de enge dromen voorbij zijn? Dat vraagteken is al fout. Dit is gewoon een nieuw begin! Ik weet het zeker!

## Dinsdag 12 september 11.30 uur

Er is iets afschuwelijks gebeurd. Mama en ik komen net terug van het politiebureau. Ik ben nog helemaal verdwaasd en aangeslagen, alsof mijn oude leven in één klap is weggevaagd. Er zitten vijf hechtingen en een enorme pleister boven mijn wenkbrauw. Mijn hoofd bonkt en klopt alsof er een betonblok op is gevallen. Maar de pijn is niet het ergste. Het ergste is dat niemand me gelooft.

Het begon allemaal vannacht. Ik droomde weer over die man!!! O god, ik word nog steeds panisch als ik eraan denk. Hij stond naast mijn bed, als een boosaardige schim, net alsof hij nooit was weggeweest. Toch was mijn droom anders dan al die andere nachten. Hij hield dit keer iets in zijn handen, een langwerpig voorwerp, ik zweer het! Ik wilde me bewegen, vluchten, maar het lukte niet. Alsof mijn benen en armen verlamd waren. Ik kon niets doen, behalve toekijken hoe die man steeds dichterbij kwam. Hij zwaaide zijn arm met dat ding omhoog. Ik hoorde een klap en toen kwam die verschrikkelijke pijn opzetten boven mijn linkeroog. Ik voelde iets warms langs mijn gezicht sijpelen. Wat er daarna gebeurde, weet ik niet. Ik kan me alleen maar herinneren dat alles donker werd. Misschien ben ik flauwgevallen?

Het was zes uur 's ochtends toen ik wakker schrok. Mijn haren plakten aan mijn gezicht en ik was misselijk. De pijn boven mijn oog was er nog steeds. Ik streek met mijn vingers over mijn wenkbrauw en voelde iets plakkerigs. Ik wist niet hoe snel ik het lampje boven mijn bed moest aandoen. Er zat echt overal bloed. Op mijn vingers, mijn kussen, op het nachtkastje en de muur. Ik was zo bang, zo verschrikkelijk bang. Wie weet was die man nog ergens. Ik moest zo snel mogelijk weg uit mijn kamer.
Ik hees me uit bed en strompelde de gang op. Ik riep mijn moeder dat ze moest komen en dat ik gewond was. Er kwam niemand. De pijn in mijn hoofd werd erger. Alles werd wazig en ik zakte langs de muur van de gang in elkaar. Ik kon alleen maar denken: straks komt die man terug en vermoordt hij me op een paar meter afstand van de slaapkamer van mijn ouders. Ik hoorde voetstappen. Ze kwamen snel dichterbij en ik moest gillen. Toen zat mijn moeder opeens gehurkt voor me. Ik zal nooit vergeten hoe ze naar me keek. Ze was lijkbleek en had een panische blik in haar ogen, alsof ik ter plekke doodging.
Mama sloeg haar hand voor haar mond. 'Meisje, toch,' fluisterde ze. 'Wat is er aan de hand? Wat is er gebeurd? Wat erg, wat verschrikkelijk erg.' Ze kreunde en er rolde een traan langs haar wang.
Ik werd nog banger van mijn moeders reactie. Ik probeerde antwoord te geven, mijn mond te bewegen, en iets te zeggen. Maar er kwam alleen een schor gekraak uit. Ik had opeens verschrikkelijke dorst.
'Drinken,' stamelde ik.
Mam legde haar arm om mijn schouders en hielp me omhoog.

Samen liepen we naar de badkamer. Ik ging op de badrand zitten. Mijn hoofd tolde.
Ze haalde een glas water voor me. 'Hier, neem een slokje.'
Mams voorhoofd was veranderd in een diepe frons.
Mijn tanden klapperden tegen het glas.
Mama depte de wond voorzichtig schoon met een nat washandje. Haar ogen waren vochtig. Ze schudde haar hoofd. 'Wat is er toch gebeurd, lieverd?'
'Er was een man in mijn slaapkamer.' Toen ik het zei, bibberde mijn stem. 'Hij heeft me met iets hards geslagen. Ik ben zo bang.'
'O!' Mams mond viel wagenwijd open. 'Een man? Geslagen? Mijn god.'
Ik vertelde haar alles, het kon niet anders. Over de droom en de gekke dingen die 's nachts gebeurden. En over vannacht.
Een seconde lang leek het gezicht van mijn moeder van steen. Toen vertrok haar mond nerveus. 'Ik snap het niet,' zei ze handenwringend. 'Je droomt al een paar weken over een man? En hij heeft je vannacht aangevallen? Hoe kan dat?'
'Ik weet het niet,' mompelde ik. 'Op de een of andere manier droom ik dingen die echt gebeuren.' Ik wilde dat ik niet zo duizelig was en dat ik helder kon denken.
Mama stond op en zei: 'Ik ga in je slaapkamer kijken. Wil je mee?' Maar dat durfde ik niet.
Ze kwam met een ernstig gezicht terug uit mijn kamer. 'Er is niemand. We gaan naar het ziekenhuis. En daarna naar de politie.'
Ik knikte. 'Waar is papa?'
'Hij sliep nog. Ik heb hem net wakker gemaakt.'
Op dat moment kwam mijn vader de badkamer inlopen in

zijn pyjama. Hij keek verschrikt. Onder zijn ogen lagen dikke wallen en zijn haren zaten warrig. Hij leek net een verstrooide professor.
'O, Karlijn, Karlijn,' zei hij. 'Arme schat. Hoe heeft dit kunnen gebeuren?' Toen pakte hij mijn hoofd tussen zijn handen en streelde zachtjes mijn haar. 'Rustig maar. Alles komt goed.'
Zijn stem klonk normaal en even dacht ik dat de oude papa weer terug was. Van die gedachte werd ik zo blij. Maar toen ik vroeg of hij meeging naar het ziekenhuis en de politie, werd hij bleek.
Pap kuste mijn voorhoofd. 'Het spijt me. Maar ik kan beter hier blijven. Stel je voor dat die man terugkomt. Dan zal ik hem eens een lesje leren.'
Hij glimlachte, maar dat lukte niet al te goed, en ik was bang dat hij zou gaan huilen. Hij staarde naar de grond en opeens voelde ik me zo verdrietig om hem.
Mama deed haar ogen even dicht. 'Kom, Karlijn, we gaan,' zei ze zacht.

We gingen naar de Eerste Hulp van het VU ziekenhuis. Een aardige dokter hechtte mijn hoofd en zei dat ik een hersenschudding had. Ik mocht een week niet naar school. Daarna reden we door naar het politiebureau op de Koninginneweg. Er zat een meisje achter de balie. Mama deed het woord. Ze zei dat we aangifte kwamen doen van een inbraak en geweldpleging. Ik vond het behoorlijk heftig klinken, maar het meisje leek er niet van onder de indruk te zijn. Ze keek geeneens naar mijn wond! We moesten wachten totdat een rechercheur tijd had. Hoe haalde ze het in haar hoofd, mompelde mam, om ons niet direct te helpen? Na een half uur werden we eindelijk opgehaald

door een wat oudere man. Hij stelde zich voor als 'Johannes Brand, rechercheur politie Amsterdam-Amstelland. Het spijt me dat u even heeft moeten wachten.'
Mam knikte, maar ze zag er iets toegeeflijker uit dan daarnet.
Hij bracht ons naar een kamertje. 'Gaat u zitten. Wilt u iets drinken?'
Mama zei dat ze koffie wilde, ik vroeg om een glas water, en rechercheur Brand verdween. Pas na een kwartier (niet te geloven!) kwam hij weer binnen met drie plastic bekertjes in zijn handen. Misschien moet je eerst dood zijn voordat de politie de ernst van je zaak inziet?
Intussen was mijn hoofdpijn zo erg geworden dat ik vlekken voor mijn ogen zag.
Rechercheur Brand ging zitten. 'Zegt u het maar.'
Weer deed mama het woord. Zijn gezichtsuitdrukking veranderde niet, zelfs niet toen mam vertelde over mijn dromen en die enge man in mijn kamer.
Het bleef even stil. 'Nou, dat is niet niks,' zei hij ten slotte. Zijn stem klonk helemaal niet alsof hij het meende. 'Wat moet jij geschrokken zijn, zeg.'
Ik knikte en probeerde een slokje van mijn water te nemen, maar mijn handen trilden zo erg, dat het plastic bekertje op de grond viel. Mam raapte het op.
Rechercheur Brand leunde achterover in zijn stoel. 'Dus je beweert dat je bent aangevallen door een man uit je droom.'
'Dat beweer ik niet,' zei ik. 'Het is zo.' Was deze politieagent blind? Het bewijs zat verdorie duidelijk zichtbaar op mijn hoofd.
Hij hief zijn handen op. 'Natuurlijk, natuurlijk, het spijt

me. Ik dacht alleen hardop.' Brand zuchtte alsof hij ineens onwijs moe was. 'Vind je het goed als ik even alleen met je moeder praat?'
Ik keek hem niet-begrijpend aan. Hij glimlachte vriendelijk naar me, alsof ik een vierjarige kleuter was. Maar ik was te leeg en te moe om tegen zijn verzoek in te gaan.
'Eh... oké,' mompelde ik en ik liet me het kamertje uit sturen.
Toen ik tien minuten later weer mocht binnenkomen, leken mijn moeder en rechercheur Brand opeens de beste vrienden. Ik keek mama vragend aan, maar ze ontweek mijn blik en staarde naar de grond. Niet goed! Maar op dat moment zag ik het nog niet aankomen.
'Karlijn,' begon Brand. 'Je moeder heeft me ingelicht over de problemen thuis met je vader.'
Sjonge-jonge, mam had blijkbaar haar hart gelucht terwijl ik op de gang zat.
'De ziekte van je vader is natuurlijk niet niks.' Hij koos zijn woorden voorzichtig. 'Je hebt de afgelopen weken zoveel meegemaakt. Ik kan me heel goed voorstellen dat je daar behoorlijk overstuur van bent.'
'Eh... ja.' Wat deed mijn vaders depressie ertoe? Ik legde de link nog steeds niet. Dat kwam pas toen rechercheur Brand zei: 'Ik denk dat het je allemaal wat te veel is geworden. Dat is heel normaal. Die dromen zijn een uitlaatklep voor je, een manier om alles te verwerken. Volgens je moeder zat er bloed op je nachtkastje.
Het lijkt me zeer waarschijnlijk dat je je hoofd hebt gestoten in je slaap.'
Mijn oren begonnen te suizen. Ik raakte in paniek. Hij geloofde me niet! Hij dacht dat ik mezelf had verwond! Mijn handen werden nat van het zweet.

'Ik ben niet gek. Er was echt een man in mijn kamer!'
'Ik denk helemaal niet dat je gek bent,' zei hij sussend. 'Wel dat je een moeilijke tijd doormaakt. Dromen kunnen heel levensecht overkomen, dat snap ik best. Het lijkt me goed als je iemand zoekt om mee te praten. Een psycholoog. Denk daar maar eens over.'
Ik zag in mijn moeders ogen een soort opluchting na zijn betoog, alsof ze liever had dat ik gek was dan dat ik was aangevallen door een mysterieuze man. Ik begon te huilen.
Mam sloeg haar armen om mijn middel. 'Karlijn, schat, ik ben er voor je. Het maakt niet uit. We gaan dit oplossen.'
Ik rukte me los. 'Ik wil jou niet. Ik wil papa. Jij geeft alleen maar om mijn cijfers.' Ik wist niet dat ik zo gemeen kon zijn.
Mijn moeders lip trilde. Ze zag er verslagen uit. Ik voelde spijt, maar ik dacht er niet over om dat aan haar te laten zien.
Rechercheur Brand knikte alsof mijn uitbarsting zijn theorie bevestigde. Ik had hem het liefst een klap in zijn zelfvoldane gezicht gegeven. Ik haat hem! Ik haat hem! Ik haat hem!

Mama heeft me thuis in bed gelegd. Ze vroeg hoe het ging en of ik iets wilde eten. Ik heb eenlettergrepige antwoorden gegeven. Nu hoor ik mijn moeder op haar schoenen rondjes door de huiskamer lopen en ik hoop dat ze zich enorm schuldig voelt! Ik ben zo moe, maar ik mag van mezelf niet in slaap vallen. Nooit meer! Ik ga liever dood aan oververmoeidheid dan dat die griezel weer opduikt om me te grazen te nemen. Wat een waanzin. Niemand gelooft me. Wat moet ik nu doen?

O god, help me, help me alsjeblieft! Ik kan niet meer. Ik ben niet gek, toch?

# Vrijdag 27 oktober

Zit ik echt op deze vrijdagmiddag in De Toog te wachten op een wildvreemde jongen die met zijn voetbalvrienden wat komt drinken? Ik kan het moeilijk ontkennen, maar ik snap het niet. Of beter gezegd, ik snap het wel, maar ik begrijp mezelf niet meer.
Als ik over de afgelopen dagen nadenk, zie ik mijn leven als een film die versneld wordt afgespeeld. Ik word wakker, ga naar school, maak ruzie met Hanna en Marjolein, fiets naar huis, lees de hele middag en avond in Karlijns dagboek, ga slapen, droom over Karlijn en word wakker, om alles weer opnieuw te doen. Ik had vandaag iets leuks kunnen afspreken met Hanna en Marjolein. Maar ik kon het niet. Ik moest per se naar De Toog. Want Karlijn had in haar dagboek geschreven dat Joost altijd op vrijdagmiddag met zijn voetbalelftal in De Toog kwam.
Ik draai mijn glas met cola light rond en kijk nerveus op mijn horloge. Half vijf. Zou Joost nog komen? En als hij komt, wat ga ik dan in godsnaam zeggen? 'Hallo, ik ben Eva, Karlijns buurmeisje. Vond jij ook dat ze gek was geworden? Vertel alsjeblieft iets over Karlijn, het maakt niet uit wat, want ik kan haar niet uit mijn hoofd krijgen.' Dat zou idioot zijn.

Gisteren heb ik heel lang in Karlijns dagboek gelezen. Toen ik ging slapen, was ik helemaal van slag. Hoe zou het zijn, vroeg ik me steeds af, als je doodsbang bent en niemand je gelooft? Ik heb Karlijn altijd gezien als een vrolijke, sterke persoonlijkheid, iemand om te benijden, maar wat was ze er slecht aan toe geweest. Ik heb nog nooit zo met iemand te doen gehad als nu met Karlijn, en me nog nooit zo verantwoordelijk gevoeld.
'Waar ben jij met je gedachten?' hoor ik opeens een stem vragen.
Ik kijk op. De jongen achter de bar glimlacht naar me.
'Ik vroeg of je nog iets wilde drinken, maar je hoorde me niet. Of misschien had je geen zin om antwoord te geven.' Hij lacht vriendelijk.
Ik zie nu pas dat hij er best leuk uitziet: blauwe ogen, kort blond haar en sproetjes op zijn neus.
'Wacht je op iemand?' vraagt hij.
'Eh... ja.'
'Op wie? Je vriend?'
Ik hoop niet dat ik begin te blozen. Ik ben zestien en heb nog nooit een vriendje gehad. Op school lopen er genoeg leuke jongens rond, maar ze zien mij niet staan. En de paar jongens die mij wel zien staan, vind ik niet leuk. Het idee dat deze barman denkt dat ik een vriend heb, vind ik vleiend.
'Nee,' probeer ik zo nonchalant mogelijk te antwoorden. 'Ik heb een afspraakje met een jongen die ik ken. Niks bijzonders.' Meestal word ik knalrood als ik lieg, maar nu niet.
Hij knikt en steekt zijn hand over de bar naar me uit. 'Ik ben Steven. Leuk je te ontmoeten.'
Ik schud zijn hand. Warm en stevig. 'Eva. Insgelijks.'

'Eigenlijk werk ik nooit op vrijdag. Ik val vandaag, morgen en zondag in voor iemand. Daar gaan mijn weekendplannen.'
Steven lacht. En ik ook.
Ik ben bijna vergeten dat ik hier voor Joost ben, als er opeens een groepje jongens luid lachend en pratend binnenkomt. Zou dit het voetbalelftal zijn?
'Werk aan de winkel,' zucht Steven. 'Misschien spreek ik je zo nog even.'
Ik hoop het, denk ik.
Het groepje gaat aan de bar staan. Jassen worden uitgedaan, er worden biertjes besteld, en ik hoor een paar jongens praten over 'een klotetraining. Hopelijk gaat de wedstrijd zondag beter'.
Hoe nu verder? Ik durf nooit een van deze jongens aan te spreken. Ik voel me opgelaten en schuifel ongemakkelijk heen en weer op mijn kruk. Dit wordt niks. Misschien kan ik beter naar huis gaan en dit idiote plan vergeten. Opeens hoor ik iemand roepen: 'Hé Joost, heb jij nog peuken?'
Een paar hoofden draaien zich in de richting van de stem, maar de jongen naast me antwoordt: 'Jezus, Maarten, koop zelf eens peuken. Je rookt me helemaal blut. Dit is de laatste sigaret die je van me krijgt.'
Er volgt gelach en er vliegt een sigaret door de lucht. Mijn wangen branden. Joost staat op slechts een paar centimeter afstand! Ik raap al mijn moed bijeen. 'Joost?' vraag ik.
De jongen naast me draait zich om en staart me lichtelijk verstoord aan. Het is even stil. Dan zegt hij: 'Ja? Wat is er?'
Karlijn had niet overdreven in haar dagboek. Joost is

echt heel knap. Met zijn stoere baardstoppels, bruine krullen, felblauwe ogen en met zijn strakke, zwarte trui ziet hij eruit als een fotomodel. Ik snap meteen waarom ze verliefd op hem is geworden.
'Hai, ik ben Eva,' zeg ik ten slotte. 'Was jij toevallig de vriend van Karlijn?'
Opnieuw valt er een stilte. Langer dit keer. Heeft hij me wel gehoord?
'Ja. Hoezo?' antwoordt Joost uiteindelijk stug.
'Wat toevallig dat ik je hier tegenkom,' lieg ik. 'Ik ben Karlijns buurmeisje. Ik hoorde je naam en dacht: ik moet weten of hij misschien dé Joost is.'
Zijn ogen worden donker en hij kijkt me wantrouwig aan. Het doet me denken aan de blik waarmee je naar mensen kijkt die je iets proberen te verkopen.
'Wat wil je van me? Ik ben hier met wat vrienden.'
'Eh... niks. Ik vind het leuk om je eens in het echt te zien. Karlijn was dol op je. Ze had het altijd over je.'
Ineens glimlacht Joost. 'O. Nou, dat is fijn om te horen.'
Van de bar pakt hij zijn pakje Malboro. Hij steekt een sigaret in zijn mondhoek en geeft zichzelf een vuurtje.
'Sorry, dat is niet erg attent van me. Wil jij ook roken?'
'Nee, dank je.'
Hij inhaleert diep en blaast de rook door zijn neusgaten uit. 'Jemig, je overvalt me wel, hoor.' Er verschijnt een trieste blik in zijn ogen. 'Ik mis haar zo.'
'Ik ook,' zeg ik.
'Kende je Karlijn goed?'
'Ze was mijn beste vriendin.' Dat is niet gelogen. Ik aarzel en zeg: 'De laatste tijd zagen we elkaar wat minder vaak. Ik had nog zo veel dingen tegen haar willen zeggen, maar daar is het nu te laat voor.'

Joosts gezicht verstart en hij kijkt me met doffe ogen aan.
'Is er wat?' vraag ik verschrikt.
'Eh... nee. Maar ik heb Karlijn de laatste weken voor haar dood ook niet meer gezien,' zegt hij schor.
Ik ben zo verbaasd dat ik even niks weet te antwoorden. Niet meer gezien? Daar weet ik niks van. In haar dagboek was alles nog goed. 'O,' stamel ik uiteindelijk. 'Waarom?'
Hij wrijft met zijn handen over zijn gezicht en kijkt me hulpeloos aan. 'Wist ik dat maar. Op een dag kwam ze bij me met een vaag verhaal over een man die haar had geslagen. In haar droom. Heeft ze dat ook aan jou verteld?'
Ik knik. 'Ja.'
'Vanaf toen ging het bergafwaarts. Ze was zo verschrikkelijk in de war. Ze keerde zich van me af, wilde geen hulp,' zegt hij met verstikte stem. 'Ik kon niets doen om haar te helpen. Weet je, Eva, ik heb me in mijn hele leven nog nooit zo machteloos gevoeld. En opeens was ze dood.'
Joost staart me aan, maar ik heb het gevoel dat hij dwars door me heen naar iets anders kijkt.
'Het spijt me,' zeg ik zacht. Er zit een brok in mijn keel. 'Ik had niet over Karlijn moeten beginnen.'
Joost legt zijn hand op mijn schouder. 'Hé, maak je niet druk. Ik vind het juist fijn om over haar te praten. Ik hou nog steeds heel veel van haar. Maar ik voel me zo verdomd schuldig.'
'Het is niet jóúw schuld dat ze dood is,' mompel ik. Dan zwijg ik. Ik begrijp zo goed zijn gevoel.
Er wordt een cola light en een biertje voor ons op de bar gezet. Ik kijk op. Steven geeft me een knipoog en zegt:

'Rondje van het huis.' Ik krijg een kleur en neem haastig een paar slokjes. Wat aardig!
Naast me hoor ik Joost zeggen: 'Ze geloofde echt dat die man uit haar dromen bestond, niet?'
Ik kijk hem aan. 'Ja. Denk jij ook dat ze alles verzonnen heeft?'
Plotseling pakt Joost mijn arm beet. 'Natuurlijk. Jij dan niet?' Zijn toon is koeler geworden.
Ik ben opeens bang dat ik iets verkeerds heb gezegd en stamel: 'Eh... nee, stel je voor.' Dan zeg ik iets wat mezelf verbaast. 'Maar het is wel een gek verhaal. Kijk, ik wil niet zeggen dat haar angsten terecht waren, maar er zijn wel vreemde dingen gebeurd...'
'Hoe bedoel je?' vraagt Joost scherp. Hij is mogelijk nog verbaasder door mijn opmerking dan ikzelf.
'Nou, ik vind het niks voor Karlijn om zo in te storten. Zo ken ik haar helemaal niet.'
Joost knikt alsof hij me opeens begrijpt. 'Ik vind het ook moeilijk om te accepteren dat ze ziek was in haar hoofd. Maar het is natuurlijk onzin om daarom te denken dat die man uit haar dromen echt heeft bestaan. Dat snap je toch wel?'
Ik zucht. 'Je hebt gelijk. Sorry, ik liet me even gaan.'
'Maakt niet uit.'
Een jongen tikt op zijn schouder. 'Hé, Joost, waar blijf je? We hebben bitterballen besteld. En we moeten de wedstrijd van zondag nog doorspreken.'
'Kom eraan,' antwoordt Joost. Hij glimlacht tegen mij en slaat zijn biertje achterover. 'Het was leuk om je gesproken te hebben.' Hij omhelst me alsof we al jaren vrienden zijn. Met de woorden 'Hou je taai, hè,' loopt hij naar zijn vrienden.

Het is veel drukker geworden in het café. De tafeltjes zijn nu ook bezet en ik ruik etensluchten. Ik zoek met mijn ogen Steven en vind hem bij een tafeltje helemaal achterin. Hij neemt een bestelling op. Ik zwaai, maar hij ziet me niet. Met een gevoel van teleurstelling drink ik mijn cola light op. Ik besluit om naar huis te gaan. Ik heb hier niks meer te zoeken.

Een koude, gure wind bijt in mijn wangen. Het is half zeven en donker. Ik pak mijn fiets en rij weg. Ik fiets door de straten alsof ik haast heb, zigzaggend tussen de auto's en andere fietsers. Ik ben blij dat ik Joost heb gesproken. Het voelde vanmiddag alsof Karlijn een beetje dichterbij was. Een man steekt met twee jonge kinderen het zebrapad over. Ik moet remmen. De man zegt iets en de kinderen lachen.
Ineens moet ik aan mijn vader denken. Ik schud mijn hoofd, maar de herinnering verdwijnt niet. Ik ben weer een jaar of tien. Mijn moeder heeft me net verteld dat mijn vader dolblij was met haar zwangerschap en dat ik heel gewenst was. Ik snap het niet. Wat is dan de reden dat hij ons in de steek heeft gelaten? Blijkbaar ontstonden de problemen tussen mijn ouders pas nádat ik was geboren.
Uiteindelijk kon ik maar tot één conclusie komen: mijn vader was weggegaan door mij. Misschien was het leven met een kind tegengevallen, of nog erger, misschien was ík wel tegengevallen. Het valt niet uit te leggen hoe schokkend dat inzicht was. Ik heb mezelf dagen, nee weken, in slaap gehuild. Ik wilde het niet aan mijn moeder vertellen. Ze zou me zeker hebben tegengesproken om me te beschermen. Jaren later kwam ik toevallig door

mijn oma achter de ware reden van zijn vertrek. Ze liet zich ontvallen dat mijn vader een waardeloze nietsnut was die zijn gezin voor een andere vrouw had verlaten. In zekere zin was dat een opluchting, maar toch bleef het gevoel knagen dat ik niet bijzonder genoeg voor mijn vader was geweest om te blijven.

Opeens sta ik voor onze voordeur. Mijn hoofd bonst en ik ben een beetje misselijk. Het fietstochtje heeft me geen goed gedaan. Ik ga naar binnen. Het huis is donker en stil. Mijn moeder is vanochtend naar Milaan gevlogen voor dé grote woonbeurs van Europa. Ik heb haar verzekerd dat ik prima een paar dagen alleen kon zijn, maar nu zorgt het vooruitzicht van een eenzaam weekend voor een golf van zelfmedelijden. Ik sluit de voordeur en schuif de ketting erop. Dan loop ik naar de badkamer om een aspirientje te nemen. Vanavond ga ik vroeg naar bed.

# Zaterdag 28 oktober 8.10 uur

Ik schrik wakker. Mijn kamer is schemerig en doodstil. Ik ga rechtop zitten en mijn hoofd voelt zwaar aan. Een doffe, zeurende pijn klopt achter mijn voorhoofd. Het voelt alsof ik gisteravond een fles wijn heb opgedronken, in plaats van om negen uur te zijn gaan slapen. Ik kijk op de wekker. Het is zaterdagochtend tien over acht. Ik moet in een soort coma hebben gelegen. Dan herinner ik me ineens mijn droom.

Het begon met Karlijn. Ze zat op mijn bureaustoel en bladerde door haar eigen dagboek. Ik was zo verschrikkelijk blij om haar te zien. Ik probeerde te zeggen dat ik haar had gemist, maar het lukte niet. Karlijn stond op. Er viel een baan maanlicht op haar gezicht. Pas op dat moment zag ik dat ze huilde. Grote tranen die geluidloos over haar wangen rolden.

'Ah, je bent wakker, fijn.' Karlijn ging op het randje van mijn bed zitten en gaf me een zoen op mijn wang. Ze rook nog precies hetzelfde als vroeger, fris en een beetje zoet.

'We hebben elkaar veel te lang niet gesproken,' zei ze zacht. 'Ik heb je gemist.'

Ik voelde een hevige steek van blijdschap. Mijn mond weigerde nog steeds woorden te vormen. Ik begon te huilen. Gek genoeg kon dat wel in mijn droom.

'Je moet niet verdrietig zijn,' zei ze. 'Ik ben er nu toch?' Ze pakte mijn hand vast en beloofde dat we altijd vriendinnen zouden blijven. Zo in mijn droom voelde het als de waarheid.
'Het is allemaal zo vreemd gelopen,' fluisterde Karlijn. Dat vond ik ook. Het was niet erg dat ik niks terug kon zeggen. Ze leek me te begrijpen.
De minuten verstreken en Karlijn staarde zwijgend naar een punt op de muur. Maar het was fijn dat ze naast me zat. Toen ze weer wat zei, schrok ik van haar stem.
'Iedereen denkt dat ik gek ben,' zei ze gejaagd. 'Jij toch niet, Eva? Geloof me, alsjeblieft, die man bestaat echt.'
Plotseling klonk er een vreemd, tikkend geluid op de gang. Het leek op voetstappen die steeds dichterbij kwamen. Karlijn hoorde het ook en begon te schreeuwen: 'Jezus, daar is 'ie. Hij is me gevolgd.' Ze sprong overeind. 'Hij wil me vermoorden!' gilde ze. 'Vlucht, Eva, nu kan het nog!' Ze draaide zich om en verdween in de donkere schaduwen van mijn kamer.
Ik bleef alleen achter en mijn hart sloeg op hol. Was die man hier echt? De deur kraakte, de klink ging naar beneden. Ik zag een zwarte gestalte in de deuropening staan. Mijn ademhaling stokte. De gedaante sloop naar binnen. Een zwarte schim zonder duidelijk gezicht. Ik moet me verbergen, dacht ik. Maar ik kon me niet bewegen. Verlamd van angst keek ik toe
De gestalte stopte voor mijn bed en boog zich over me heen. Ik hoorde zijn ademhaling, zwaar, bijna hijgend. En ineens kon ik het gezicht zien. Het was mijn vader! Hij lachte niet, zoals op die ene foto. Maar hij keek wel vriendelijk, heel zorgzaam. Dit was het moment waar-

op ik mijn hele leven had gewacht. Eindelijk was hij gekomen. Voor mij.
'Papa,' wilde ik zeggen, maar praten lukte nog steeds niet. Hij legde een hand op mijn voorhoofd, streelde mijn haren, streek over mijn wangen. Ik schrok van zijn koude vingers.
'Domme meid,' zei hij met een schorre, krakende fluisterstem. Toen trok er een schaduw over zijn gezicht en de gelaatstrekken veranderden. Het was niet meer mijn vader, maar iemand anders. Voordat ik kon zien wie het wel was, werd het pikdonker. Overal voelde ik zijn ijskoude vingers en zijn nagels krasten over mijn huid. Langzaam gleed zijn hand over mijn mond. Ik kon geen adem meer halen en een verstikkende benauwdheid kwam op. De hand drukte steeds harder op mijn mond en het laatste restje lucht verdween uit mijn longen. Mijn oren begonnen te suizen en er verschenen rode vlekken voor mijn ogen. Ik ga dood, dacht ik. Vreemd genoeg was ik niet bang meer. Alles werd zwart en ik zakte weg.
Zelfs nu ik wakker ben, voel ik nog de druk van zijn hand op mijn mond. Wat een onzin, spreek ik mezelf streng toe, het was gewoon een droom. Ik knip het lampje boven mijn bed aan. Bureau, stoel, kledingkast, alles staat nog op zijn plek. En dan zie ik het. Een briefje. Het ligt op het kastje naast mijn bed, half verstopt tussen de bladzijden van mijn natuurkundeboek. Ik weet zeker dat daar gisteravond geen briefje zat. Ik knipper met mijn ogen, maar het papiertje verdwijnt niet. Mijn mond wordt droog en ik gris het velletje uit mijn natuurkundeboek. Het handschrift, groot en overdreven kinderlijk. *Karlijn is dood. Bemoei je er niet mee. Ik hou je in de gaten,* lees ik.

Mijn handen beven zo erg dat het briefje op de grond valt. Wat is er in godsnaam vannacht gebeurd? Droomfiguren kunnen geen briefjes schrijven. Blijkbaar is er echt iemand in mijn kamer geweest! Het voelt alsof ik op het randje van een steile afgrond sta en mijn evenwicht niet meer kan bewaren. Mijn maag draait zich om. Ik vlieg uit bed en ren naar de badkamer. Boven de wc geef ik over, en nog een keer, totdat er niks meer komt. Ik sta op en schrik van mijn eigen gezicht in de badkamerspiegel. Ik zie er vreselijk uit. Donkere kringen liggen onder mijn ogen en er lopen een paar vuurrode schrammen over mijn wangen. Het duurt enkele seconden voordat ik echt besef wat ik zie. Rode schrammen! Ik voel de nagels uit mijn droom weer over mijn gezicht krassen.

Duizelig leun ik tegen de koude tegels van de badkamermuur. Adem in, adem uit. Ik dwing mezelf rustig te worden. Het is half negen, zaterdagochtend, en als die man me iets had willen aandoen, was dat vannacht wel gebeurd. Toch? Ik loop de gang in. Donker. Had ik niet de lichten aangedaan? Of ben ik mezelf gek aan het maken? Ik ren van kamer naar kamer. Alles lijkt normaal. Dan sta ik voor mijn slaapkamerdeur. Ik moet naar binnen. Ik kan straks moeilijk in mijn pyjama over straat.

'Hallo?' roep ik. 'Is daar iemand?'

Ik leg mijn oor tegen de deur en luister. Er komt geen antwoord. Ik haal diep adem en doe zachtjes mijn deur open. Ik loop mijn kamer in. Het enige licht komt van mijn bedlampje en ik zie overal vreemde schaduwen en donkere vormen. Ik kijk steeds om me heen of er iemand naast of achter me staat, waardoor ik struikel over een T-shirt dat op de grond ligt. Mijn hart springt

bijna uit mijn borstkas van schrik. In een paar sprongen sta ik voor het raam en ik trek de gordijnen open. Het daglicht stroomt naar binnen en mijn kamer ziet er een stuk minder spookachtig uit. Ik durf zelfs onder mijn bed en in mijn kast te kijken. Er is echt niemand. Ik pak het briefje van de grond, trek snel wat kleren aan en ga naar beneden.
In de keuken doe ik alle lichten aan. Ik houd de straat in de gaten vanachter het keukenraam. Mensen lopen voorbij. Auto's rijden langs. Het is een geruststellend uitzicht. Ik ga aan de keukentafel zitten en pak het briefje. Waarom heb ik dit gekregen? Waarom is er vannacht een man in mijn kamer geweest? Waarom overkomt mij dit? Ik probeer de antwoorden te vinden en alles op een rijtje te zetten. Wat weet ik? Om te beginnen: Karlijn droomt over een enge man en ze is doodsbang dat hij echt bestaat. Niemand gelooft haar, ik ook niet. Ik heb gistermiddag met Joost gepraat, en opeens wandelt diezelfde man zomaar mijn droom binnen. Ben ik ook gek geworden, of is er meer aan de hand? Ik hoef maar naar het briefje te kijken om zeker te weten dat ik me niet alles heb verbeeld. En Karlijn dus ook niet? Van die vraag word ik nog banger dan ik al was.
En opeens, als een soort blikseminslag, krijg ik een afschuwelijke gedachte. Als die man echt bestaat, dan is Karlijns dood misschien toch geen ongeluk. Nee, dat kan niet waar zijn. Het was gewoon een ongeluk, punt uit. Ik heb mezelf al een keer compleet voor schut gezet door te denken dat Nout iets verzweeg over Karlijns dood. Het is belachelijk om Joost nu te verdenken. Maar is het dan toeval dat dit alles gebeurt nadat ik met Joost heb gepraat?

Terwijl ik dit allemaal denk, staar ik weer naar het briefje. *Karlijn is dood. Bemoei je er niet mee. Ik hou je in de gaten.* De rillingen lopen over mijn rug en ik sta op. Dan zie ik plotseling dat het raampje aan de tuinkant een eindje openstaat. Een modderige voetafdruk staat op de vensterbank. O god, zo is die engerd vannacht waarschijnlijk binnengekomen. Ik moet niet langer nadenken. Ik moet zo snel mogelijk naar de politie.

# Zaterdag 28 oktober 9.45 uur

Het politiebureau aan de Koninginneweg is bijna uitgestorven. Achter de balie zit een vrouw te werken. Ze kijkt niet op als ik binnenkom. Ik loop naar haar toe.
'Hallo?' vraag ik.
'Ja, zeg het maar. Waarmee kan ik je helpen?' De agente blijft naar het beeldscherm van haar computer turen.
Ik schraap mijn keel. 'Eh... ik ben vannacht bedreigd door een man. En hij heeft misschien ook iemand vermoord.'
Ineens heb ik haar volledige aandacht. De vrouw kijkt me geschrokken aan en haar mond zakt open. 'Wat zeg je? Vermoord?'
'Nou,' stamel ik, 'dat laatste weet ik niet helemaal zeker. Maar het zou kunnen.'
De agente slaat haar armen over elkaar heen. 'Ik ben bang dat ik het niet snap. Is er nu iemand vermoord of niet?'
'Eh... nee. Maar mijn vriendin is een tijdje geleden verongelukt. En vannacht heb ik een dreigbrief gekregen. Dus ik dacht, misschien was dat ongeluk geen ongeluk.'
De mond van de vrouw verandert in een smalle streep.
'Tja,' zegt ze ten slotte. 'En waar wil je aangifte van

doen? Van dat ongeluk dat misschien geen ongeluk was, of van die brief?' Ze klinkt een beetje spottend.
Ik slik moeilijk. 'Van beide dingen? Kan dat?'
'Alles kan.' De vrouw zucht en pakt een formulier. Ze noteert mijn naam en adres. Bij mijn leeftijd schudt ze haar hoofd, alsof ik mijn laatste restje geloofwaardigheid verlies.
De vrouw zegt dat ik moet wachten en dat ik straks door een agent word opgehaald. Ik ga zitten op een van de drie stoelen voor de balie. Op de muur hangen posters met gezichten van criminelen. Gezocht voor een bankoverval, gezocht voor aanranding, gezocht voor moord. Zou Karlijn ook naar deze foto's hebben gekeken toen ze hier met haar moeder was?
Ik wacht. En wacht. Na een half uur gaat er eindelijk een deur open en een wat oudere man in een politieuniform komt uit een kamertje. Hij loopt naar de vrouw achter de balie. Ze praten op zachte toon, en uit mijn ooghoek zie ik dat ze blikken wisselen. Ik realiseer me dat ze het misschien over mij hebben en ik voel me vreselijk opgelaten. De man draait zich om en gaat het kamertje weer binnen. Het duurt zeker nog tien minuten voordat diezelfde deur opengaat en de man in de deuropening zegt: 'Juffrouw Eva Nieboer?'
Ik knik en schud zijn uitgestoken hand.
'Johannes Brand, rechercheur politie Amsterdam-Amstelland.'
Is dit dezelfde man met wie Karlijn heeft gepraat? Ik kan me zijn naam uit haar dagboek niet meer herinneren.
'Kom binnen.' Hij houdt de deur voor me open.
Wat had ik verwacht? In ieder geval niet dit kleine hok-

je met felblauwe vloerbedekking, twee plastic klapstoeltjes en een gammel bureautje. Ik ga tegenover Brand zitten en bijt zenuwachtig op mijn lip.
Hij leunt achterover in zijn stoel. 'Vertel eens, wat brengt je hier?'
Ik zwijg een paar seconden en bedenk hoe ik alles moet vertellen. 'Het is nogal... complex.'
'Waarom begin je niet gewoon bij het begin?'
'Eh... oké.' Ik schuif over mijn stoel. 'Een paar weken geleden is mijn vriendin overleden. Ze is door een busje aangereden. Misschien kent u haar wel. Karlijn Simonsen. Ze heeft hier ook een keer aangifte gedaan.'
Ik zie Brand denken. Opeens lichten zijn ogen op: 'Ah, Karlijn Simonsen. Die is hier inderdaad geweest, samen met haar moeder. Een aardig meisje. Het spijt me dat ze een ongeluk heeft gekregen.'
Blijkbaar is dit de agent met wie Karlijn ook heeft gesproken.
'Ze heeft u verteld over die man in haar dromen, toch?'
Brand zet zijn ellebogen op het bureaublad en laat zijn kin in zijn handen rusten. 'Ja, dat herinner ik me nog. Ze was behoorlijk overstuur.'
'Nou, die man uit Karlijns dromen is vannacht ook in mijn kamer geweest terwijl ik sliep. En er lag vanochtend opeens een briefje naast mijn bed, tussen de bladzijden van mijn natuurkundeboek. Dus ik kan het niet gedroomd hebben.'
'Zo.' Hij fronst zijn wenkbrauwen. 'En wat stond er op dat briefje?'
Ik pak het briefje uit mijn broekzak en leg het voor hem op de tafel.
'Dit is het?' vraagt hij.

'Ja.'
Brand bekijkt vluchtig het papiertje. 'Tja, ik kan me voorstellen dat je hiervan bent geschrokken. Weet je wie dit briefje heeft geschreven?'
Ik haal diep adem en zeg: 'Ik denk Joost, de vriend van Karlijn. En ik denk dat Karlijns dood misschien geen ongeluk was.' Ik gooi alles eruit. Wat ik in Karlijns dagboek heb gelezen, hoe ik haar eerst ook niet geloofde, dat ik gistermiddag Joost heb ontmoet, en dat het geen toeval kan zijn dat ik nu word bedreigd. Ik houd op met praten, want ik krijg opeens het idee dat Brand helemaal niet luistert.
'U móét me helpen,' eindig ik wanhopig. 'Kunt u niet met Joost gaan praten?'
'Ik ben bang dat ik niet veel voor je kan doen,' zegt hij. 'Het is waarschijnlijk toeval dat je eng droomt nadat je Joost hebt gesproken. Daarbij is het niet strafbaar om dit soort briefjes te schrijven. Ik kan pas een onderzoek instellen als je daadwerkelijk bent bedreigd. Fysiek, zeg maar. Of als die man iets heeft gestolen. Missen er thuis dingen?'
Ik schud mijn hoofd. 'Nee, volgens mij niet. Maar er is wel ingebroken. Dat is toch ook strafbaar? Op de vensterbank van het keukenraampje zit wat modder. Wilt u dat zien?'
'Nee, dat is niet nodig.' Brand slaakt een diepe zucht. 'Eva, het spijt me, maar ik kan onmogelijk op jacht gaan naar een man die tienermeisjes lastig valt in hun dromen. Een beetje modder is niet echt een overtuigend spoor van braak.'
Ik raak in paniek. Hij gelooft me niet. Ik zie het aan zijn gezicht, aan de manier waarop hij zijn mond tuit en zijn

ogen samenknijpt. 'En dat briefje dan? Dat is toch ook bewijs?'
Hij glimlacht geruststellend. 'Ik vind het ook vreemd dat er een briefje naast je bed lag. Maar daar zal vast een goede verklaring voor zijn.' Ik merk dat hij probeert zijn woorden voorzichtig te kiezen. 'Het briefje zat toch in je natuurkundeboek?'
'Ja.'
'Ik denk dat iemand op school het briefje in je tas heeft gestopt. Zo is het waarschijnlijk in je natuurkundeboek terechtgekomen. Het zal wel een grap zijn.'
Ben ik helemaal hierheen gekomen om dít te horen? Ik vecht tegen mijn tranen. 'Het is géén grap. En het briefje is niet op school in mijn tas gestopt. Straks eindig ik ook onder een auto.'
'Luister eens even, meisje. Ik snap dat je overstuur bent door de dood van je vriendin. Maar het gaat te ver om daarom te denken dat ze is vermoord. En dat jij nu ook gevaar loopt omdat je met haar vriend hebt gepraat. Ik weet zeker dat er niks aan de hand is.' Brand werpt een snelle blik op zijn horloge. 'Misschien moet je niet meer in Karlijns dagboek lezen. Ze was echt heel erg in de war, wat zich uitte in die vreemde dromen. Het kan nogal beangstigend zijn om daarover te lezen. Ik zou niet willen dat jij dezelfde ideeën krijgt.'
In mijn hele leven heb ik nog nooit zo met mijn mond vol tanden gestaan. Ik sta op. Ik moet hier weg. Ik ben bang dat ik in tranen uitbarst waar Brand bij is en daarom ren ik naar buiten zonder gedag te zeggen. Door mijn tranen kan ik niks meer zien, maar het lukt me om het politiebureau uit te lopen. Het is gaan regenen. Koude druppels striemen in mijn gezicht, maar het maakt

me niets uit. Ik ruk aan mijn fietsslot. Zo moet Karlijn zich ook hebben gevoeld toen Brand haar niet geloofde. Bang, alleen en in de steek gelaten. Ik stap op mijn fiets. Wat nu? Ik heb geen idee.

Buiten adem en met steken in mijn zij kom ik thuis aan. Ik heb zo hard getrapt als ik maar kon, om zeker te weten dat ik niet werd gevolgd. *Ik hou je in de gaten*, had er op briefje gestaan. Maar niemand was in de regen achter me aan gefietst.
Met een raar, zenuwachtig gevoel in mijn buik open ik de voordeur. De gang ziet er nog precies hetzelfde uit als toen ik wegging. Ik stap met één been over de drempel en gris een paraplu van de kapstok. Met de ijzeren punt naar voren, als een soort zwaard, roep ik: 'De politie is hier. Ik ben niet alleen.'
Ik wacht en luister. Geen gestommel, geen vluchtende voetstappen. Ik gluur over mijn schouder om te zien of er iemand op straat naar me kijkt. Niemand. Iets geruster loop ik naar binnen en sluit de voordeur. Ik schuif de ketting erop en draai de deur in het nachtslot. 'Die zit dicht,' zeg ik, enkel om mijn eigen stem te horen. Uit de huiskamer pak ik een stoel die ik met de leuning onder de klink van de voordeur schuif. Dan controleer ik of alle ramen in het huis gesloten zijn. In de keukenla vind ik een groot mes dat ik meeneem naar mijn slaapkamer. Ik pak mijn telefoon en toets het telefoonnummer van mijn moeder in.
Veel geruis en gekraak. Het lijkt alsof ik naar een andere planeet bel. Nerveus bijt ik op de nagel van mijn duim. 'Hallo?' Mijn moeder neemt op. Ik huil bijna van opluchting.

'Mam, met mij.'
'Hé, lieverd, wat leuk dat je belt. Het is hier fantastisch. Lekker weer, een goed hotel. Hoe gaat het met jou?'
'Niet zo goed.' Er zit een echo op de lijn en ik hoor mijn eigen antwoord nogmaals. Mijn stem klinkt angstig.
'Wat is er? Ben je ziek?'
Nog meer gekraak, en een hoge pieptoon.
'Nee. Ik heb vannacht heel eng gedroomd. Over een man. Ik denk dat die man echt in mijn kamer is geweest.'
Stilte. Is de lijn dood?
'Wat zeg je?' antwoordt mijn moeder ten slotte van heel ver. 'Een nachtmerrie? Over een man. Wat vervelend, schat.'
'Het was geen nachtmerrie. Die vent heeft namelijk een briefje in mijn kamer achtergelaten. Ik denk dat het de vriend van Karlijn is geweest, maar helemaal zeker weet ik dat niet.'
'Hallo? Eva? Ik hoor je niet meer, je valt weg. Hallo?'
'Mam? Mam?'
'Ah, daar ben je weer. Zei je nou een briefje?'
'Ja.' Ja, zegt de echo. 'Er stond in dat ik me niet met Karlijn moest bemoeien.'
Opnieuw stilte. Heeft ze me gehoord? Ben ik weer weggevallen?
'Karlijn?' zegt ze uiteindelijk. 'Waarom krijg je briefjes over Karlijn? Ik snap het niet. Je had al jaren geen contact meer met haar.'
Ik besef opeens dat mijn moeder van niks weet. Moet ik haar over deze slechte telefoonlijn alles uitleggen? Over Karlijns dagboek, de dromen, de inbraak bij Nout, mijn ontmoeting met Joost? Ik weet hoe ze over mijn vriendschap met Karlijn denkt. Die is in haar ogen op de mid-

delbare school geëindigd. Ze zou een hartaanval krijgen als ze wist wat ik allemaal had gedaan en zonder meer twijfelen aan mijn verstand. Die gedachte kan ik niet verdragen.
'Laat maar. Ik vertel het thuis wel. Kan je niet eerder terugkomen?' smeek ik.
'Lieveling, ik red het niet om een vlucht eerder te nemen. Het is hier een gekkenhuis. Maandagochtend ben ik er weer. Oké?'
De brok in mijn keel is zo groot dat ik nauwelijks kan antwoorden.
'Oké.'
'Je klinkt wat vreemd. Moet ik me zorgen maken?'
'Nee, hoor,' lieg ik.
Mijn moeder zegt dat ze me vanavond nog een keer belt en dat ze nu moet ophangen omdat haar taxi voor het hotel wacht. We nemen afscheid en ik leg mijn telefoon neer. De brok in mijn keel lost op in tranen. Mijn kamer voelt afschuwelijk stil aan. Ik heb het gevoel dat ik niet alleen ben, hoewel ik weet dat er niemand is. De minuten tikken voorbij. Ik ga aan mijn bureau zitten en staar wezenloos voor me uit. Heb ik dit alles over mezelf afgeroepen doordat ik Karlijn niet kan loslaten, zelfs nu ze dood is? Is dit soms mijn verdiende loon? Ik voel me op een vreemde manier beetgenomen. Kon ze nu maar bij me zijn. Ik pak haar dagboek van mijn bureaublad en begin te lezen op de bladzijde waar ik de vorige keer ben geëindigd. Ze is weer terug, voor heel even.

## Dinsdag 19 september

Hier ben ik weer, na een week niks geschreven te hebben. Ik moet ervoor zorgen dat ik blijf schrijven, en contact hou met mezelf, anders gaat het niet goed. Het kost me zo veel moeite om de dagen door te komen: opstaan, douchen, aankleden, ontbijten, een beetje voor de tv hangen, lunchen, wat lezen, avondeten en weer slapen. Ik slaap op de kamer van mijn ouders. Verschrikkelijk, maar ik durf niet in mijn eigen bed te slapen. Het geeft me een ellendig gevoel. Mijn normale leven lijkt mijlenver weg. Ik heb niet meer gedroomd, misschien ook wel door de pillen die ik heb gekregen. Donderdag heeft mama me naar dokter Eikman gebracht, een psychiater. Is dat niet verschrikkelijk? Ik val nu officieel in het hokje 'geestelijk gestoord'.
Dokter Eikman was een kleine, dunne man met een lang hoofd, een spitse neus en zwarte kraaloogjes. Hij leek wel een beetje op een kraai. Ik vond hem meteen onaardig.
'Weet je waarom je hier bent?' vroeg hij.
'Omdat iedereen denkt dat ik gek ben geworden.'
Dokter Eikman glimlachte alsof hij het een grappig antwoord vond. 'Dat valt wel mee. Je bent hier omdat iedereen zich zórgen om je maakt, dat is heel wat anders. Wil je vertellen wat er allemaal is gebeurd?'

'Als u dat wilt.'
'Ja.'
En dus vertelde ik hem alles. Hij luisterde en maakte af en toe een aantekening. Aan zijn gezicht kon ik niet aflezen wat hij van mijn verhaal vond. Ik had hem ook het weerbericht kunnen vertellen, dan had hij waarschijnlijk net zo gekeken. Toen ik klaar was, begon dokter Eikman de ene na de andere vraag te stellen. Wanneer waren de dromen begonnen? Hoe zag die man er uit? Wat droomde ik precies? Hoe was de band met mijn ouders? Hoe lang was mijn vader al depressief? Waren er nog meer problemen thuis? Kon ik goed meekomen op school? Was ik bang om te zakken voor mijn eindexamen? Hoorde ik wel eens stemmen in mijn hoofd? Hij vroeg of ik mijn gevoelens kon omschrijven. 'Ik ben bang,' zei ik. 'En verdrietig omdat niemand me gelooft.'
Na een uur wist dokter Eikman genoeg. Hij keek ernstig toen hij zei: 'Je hebt een lichte psychose. En ik kan je helpen.'
Ik kan nu nog steeds de totale verbijstering van dat moment voelen. Mijn hele gezicht tintelde alsof hij me een klap met zijn notitieblok had gegeven. Vijf weken geleden was er nog niets met me aan de hand, en nu vertelde deze dokter mij opeens dat ik een psychose had?
'Nee,' stamelde ik. 'Ik ben niet gek.'
'Ik zei ook niet dat je gek bent. Integendeel, je lijdt aan een ziekte in je hoofd. Een psychose is zeg maar kortsluiting in de hersenen waardoor je dingen ziet en hoort die er niet echt zijn. Meestal ontstaan psychoses op stressvolle momenten. Jouw psychose is waarschijnlijk ontstaan na je vaders depressie, in combinatie met je faalangst. Het komt wel vaker voor bij pubers. Zeker als

er ook een bepaalde vorm van aanleg in de familie zit.'
Ik keek hem aan, maar zag niets. 'Er was echt een man in mijn kamer. Ik weet dat het krankzinnig klinkt, maar het is waar. En hij wil me iets aandoen. Gelooft u me, alstublieft.'
Maar ik praatte tegen een muur. 'Dit soort waanbeelden horen bij een psychose,' ging dokter Eikman onverstoorbaar verder. 'Ze kunnen heel levensecht en beangstigend overkomen en je hele leven ontwrichten. Ik heb patiënten behandeld die zo paranoïde waren dat ze zichzelf verschrikkelijke dingen hebben aangedaan.'
Dacht hij soms dat ik zelfmoord wilde gaan plegen? 'Ik wil niet dood.'
'Je gaat ook niet dood. Ik ga je weer beter maken.' Dokter Eikman deed verdorie net alsof hij mijn redder in nood was. 'Ik wil graag dat je medicatie krijgt. Hierdoor zullen de verschijnselen van je psychose worden onderdrukt. Als dit niet voldoende helpt, is een opname noodzakelijk. Maar dat verwacht ik niet.'
Alles zou weer goed komen, beloofde hij me. Als ik mijn pillen maar netjes innam en één keer per week bij hem langskwam om te praten. En tijdens de behandeling mocht ik niet naar school, want ik was tenslotte ziek. Had ik verder nog vragen? Anders wilde hij graag even met mijn moeder praten om de behandeling door te nemen.
Nee, ik had geen vragen meer. Ik wilde schreeuwen dat ik niet ziek was, maar ik wist dat het geen zin had. Het voelde alsof dit leven niet langer van mij was. Ik kreeg van dokter Eikman een zakdoekje. Blijkbaar was ik aan het huilen.
Toen mam en ik thuiskwamen van dokter Eikman, was ik helemaal over de rooie. Ik moest niet verdrietig zijn, zei

mama steeds. Verdrietig? Hoe kwam ze erbij? Ik was boos, boos op die domme rechercheur die me niet had geloofd, boos op dokter Eikman met zijn diagnose, en boos op haar dat ze dit allemaal liet gebeuren. Zij had me tenslotte naar deze psychiater gebracht omdat ze me ook niet geloofde. Nu ben ik niet boos meer. Het is net of die pilletjes in een paar dagen tijd de heftigheid van al mijn gevoelens hebben afgehaald. Ik ben een soort zombie geworden, maar wat kan het me schelen?
Niemand weet waarom ik thuis zit. Ik begrijp zelf niet wat me overkomt, laat staan dat ik de juiste woorden kan vinden om het aan anderen uit te leggen. En misschien ben ik ook wel bang dat ze denken dat ik écht gek ben. Ik zou sterven van schaamte. Ik heb naar mijn vriendinnen ge-sms't dat ik een zware hersenschudding heb. En ik heb mijn werk bij De Toog met dezelfde smoes afgezegd. Iedereen reageerde heel lief. Ik ben bedolven onder de beterschap-sms'jes en kaarten. Puck heeft denk ik elke dag wel een keer mijn voicemail ingesproken. Dat ze heel veel aan me dacht. En dat het niet erg was dat ik niet terugbelde. Want ik moest rustig aan doen met mijn hersenschudding. Ik voelde me vreselijk schuldig. Stiekem hoopte ik dat Nout ook iets van zich liet horen.
Zo gek, de laatste paar dagen moet ik opeens vaak aan hem denken. Net of ik nu pas ten volle besef dat het uit is. Soms denk ik: zal ik hem gewoon opbellen en zeggen dat ik ziek ben? Maar waarschijnlijk heeft hij het nieuws al op school gehoord. Zou ik echt niks meer voor hem betekenen? Hou op, Karlijn! Je moet niet meer aan Nout denken. Er zijn momenteel al genoeg verwarrende dingen in je leven.
Joost heeft me de afgelopen dagen al een paar keer

gebeld na mijn sms'je over mijn hersenschudding. Ik heb niet opgenomen. Ik wilde het wel, maar ik durfde het niet. Wat had ik tegen hem moeten zeggen? Sorry, Joost, we hebben elkaar nog maar twee keer gezien, en ik ben nu ingestort? Echt niet! Ik hou maar op met schrijven, want ik voel me steeds beroerder worden. Zo zwart op wit ziet alles er nog veel treuriger en uitzichtlozer uit.

# Vrijdag 22 september

Net tegen mijn moeder gezegd dat ik moe was en dat ik ging slapen. Gelukkig geloofde ze het. Ze mag er nooit achterkomen dat ik te veel heb gedronken! Mam zou me aan mijn haren naar dokter Eikman slepen en onmiddellijk laten opnemen. Ik moet even kwijt wat er is gebeurd. Deze dag is zo anders gelopen dan ik had verwacht. Toen ik vanochtend opstond, dacht ik dat mijn leven geen zin meer had. Alles leek opnieuw zo grauw en grijs. Maar nu kan ik weer voorzichtig glimlachen!
Vanmiddag was ik alleen thuis. Mama was naar een vriendin vertrokken en zou pas rond een uurtje of vijf thuiskomen. En papa was een wandeling aan het maken. Het is heel erg, maar ik ben gewoon blij als mijn vader er niet is. Vaak zit hij in de huiskamer als verlamd voor zich uit te staren, met een hulpeloze blik in zijn ogen. Ik weet dan niet wat ik moet zeggen. Of doen. Mijn vader lijkt steeds verder weg te glijden in zijn eigen, sombere wereld. Ik mis hem zo verschrikkelijk, en ik heb zo'n medelijden met hem. Maar ergens ben ik ook bang dat ik net zo gek en ongelukkig word als hij...
Het was in ieder geval een verademing om vanmiddag even alleen thuis te zijn. Rond een uur of twee ging de voordeurbel. Ik negeerde het geluid en kroop diep weg in

de kussens van de bank. Weer werd er gebeld, nu wat langer. Toen klopte er opeens iemand op het raam. Ik kon door de vitrage niet zien wie het was.
'Doe eens open,' hoorde ik die persoon zeggen. 'Ik zie je zitten.'
Shit, ik kon niet meer doen alsof er niemand thuis was.
Ik slofte naar de voordeur, deed open... en hapte naar adem. Het was Joost! In een spijkerbroek, een zwarte trui en met een bosje bloemen in zijn handen. Wat deed híj in godsnaam hier.
'Hé, schoonheid,' zei Joost. 'Gelukkig leef je nog. Ik begon me zorgen te maken.' Hij gaf me de bloemen. 'Hoe gaat het met je hersenschudding?' Geen woord van hem over het feit dat ik zijn telefoontjes niet had beantwoord.
Ik stond met mijn mond vol tanden en mijn hart klopte snel in mijn keel. Misschien was ik zelfs een beetje in paniek. Ik bedoel, mijn leven had een absoluut dieptepunt bereikt waarover ik met niemand wilde praten,
en opeens stond Joost voor mijn neus. 'Hoe kom je aan mijn adres?' stamelde ik.
'Doet dat er wat toe?' zei hij grijnzend. 'Ben je niet blij om me te zien?'
'Eh... jawel,' antwoordde ik. 'Maar je overvalt me wat.'
Dat was nog zacht uitgedrukt.
'Ga je me binnen vragen?'
'Dat, eh... kan niet. Mijn vader heeft griep.' Ik wilde niet dat Joost mijn vader zou ontmoeten als hij van zijn wandeling terugkwam.
'Vervelend voor je pa. Maar we kunnen ook naar mijn huis?'
Mijn wangen kregen een kleur. 'Ik heb een hersenschudding en ik moet rustig aan doen.'

'Je kan bij mij achterop, dan hoef je niet zelf te fietsen. En ik breng je straks weer netjes thuis. Kom op, joh. Wat moet je anders de hele middag thuis doen?'
Hij keek me zo verschrikkelijk lief aan en hij had zo'n uitstraling van 'bij mij ben je veilig', stoer en aantrekkelijk. Ik wilde in zijn armen kruipen en alles vergeten. Hoe had ik ooit nee tegen hem kunnen zeggen? Dus zei ik: 'Oké. Maar ik moet wel voor vijven weer thuis zijn. En ik trek even wat anders aan.' Want ik zag er uit als ma Flodder in mijn joggingbroek, zonder make-up en met ongekamde haren!

Godzijdank waren Joosts huisgenoten niet thuis en konden we meteen doorlopen naar zijn kamer. Het was twee weken geleden dat ik daar ook was geweest, maar het leek veel langer, iets uit een ander leven.
'Ik maak het wat gezelliger,' zei Joost. Hij trok de gordijnen dicht en een paar seconden later was zijn kamer schemerig. Daarna zette hij een cd van Joss Stone op.
'Wil je iets drinken? Cola? Bier? Iets anders?' vroeg hij.
'Nee, dank je.'
Hij haalde voor zichzelf een biertje en liet zich op de bank ploffen. We zaten tegenover elkaar. Er viel een stilte. Zo'n stilte waarin je wanhopig zoekt naar een gespreksonderwerp. Ik dacht: wat doe ik hier? Ik hoor in bed te liggen. Plotseling had ik spijt dat ik met hem was meegegaan.
'Moet je niet voetballen?' vroeg ik wat ongemakkelijk. 'Het is toch vrijdagmiddag?'
'Ja, maar ik heb mijn training afgezegd. Ik wilde je per se zien.'

'O.' Dat had ik niet verwacht. 'Echt waar? Wat lief.'
Joost knikte. 'Rot van je hersenschudding. Doet het nog pijn? Heb je er veel last van?'
Ik antwoordde met twee keer ja en zweeg toen.
'Hoe kom je eigenlijk aan een hersenschudding?' Joost had een sigaret opgestoken en blies een rookwolk naar het plafond.
Ik vond het niet leuk dat hij bleef doorvragen over mijn hersenschudding. 'Ik heb mijn hoofd tegen een kastje gestoten,' zei ik en ik probeerde van onderwerp te veranderen. 'Hoe gaat het met je studie? Druk aan het studeren?'
'Valt wel mee. Ik heb pas in november tentamens. Mag jij naar school met een hersenschudding?' Joost leek niet van opgeven te weten.
'Nee,' antwoordde ik zuchtend. 'Ik moet een paar weken rust houden.'
'Een paar weken? Dat is behoorlijk lang voor een hersenschudding,' zei hij peinzend. 'Meestal is het na een weekje wel over. Jemig, je moet je hoofd flink hard hebben gestoten.'
Ik wist niks te zeggen. Wat wilde hij nou van me horen?
'Waar denk je aan?' vroeg Joost.
Waaraan dacht ik? Aan mijn zogenaamde hersenschudding. Moest ik hem misschien de waarheid vertellen? Ik was zo bang dat hij me dan als een baksteen zou laten vallen. Maar ik vond het ook vreselijk om tegen hem te liegen. Zeg het! dacht ik. Nu!
'Eh... ik heb niet alleen een hersenschudding,' zei ik langzaam, eindelijk eerlijk. 'Er is nog wat anders.'
Joosts ogen werden een fractie van een seconde groter, maar hij zei niets.

'Het is een, eh... nogal lang verhaal.' Ik voelde me niet bepaald zeker van mezelf toen ik hem vertelde over mijn nachtmerries, de man die me had aangevallen, dokter Eikman, zijn afschuwelijke diagnose, en de pillen die ik moest slikken. Ik hield op met praten. God, ik voelde me een volslagen idioot, een megaloser. Ik kon mezelf wel een stomp op mijn neus verkopen dat ik hem alles had verteld. Hij staarde me aan en ik kon moeilijk zien wat hij dacht. Ik keek weg, schaamde me. Vooral toen ik ook nog begon te huilen. Grote tranen die over mijn wangen rolden en in mijn mond drupten.
'Niet huilen,' zei Joost vriendelijk. Hij pakte mijn handen en drukte er een kus op. Ik keek naar zijn gezicht. Hij glimlachte naar me, zo van 'alles komt weer goed, maak je geen zorgen'.
'Ik dacht al dat er meer aan de hand was,' zei hij zacht.
'Hoe kon je dat weten?' snotterde ik.
'Gewoon, ik had zo'n voorgevoel. Daarom ben ik naar je toegekomen. Omdat ik me zorgen maakte.'
'Denk je ook dat ik gek ben?'
'Nee.' Joost pakte me stevig vast. Hij was zo lief, heel beschermend.
'Karlijn,' zei hij. 'Hoe heten die pillen die je moet slikken?'
'Geen idee,' mompelde ik. 'Ik heb ze bij me. Wil je ze zien?'
'Ja. Ik studeer tenslotte medicijnen.'
Uit mijn jaszak viste ik het doosje met pillen. 'Twee maal daags innemen,' had dokter Eikman gezegd. Over een half uur moest ik weer zo'n ding slikken.
Joost pakte het pillendoosje en hield het in zijn hand. 'Cisordinol,' las hij voor van het etiket. Hij blies luidruchtig zijn adem uit. 'Jezus, ik schrik ervan. Dit is echt troep. Een paardenmiddel.'

'O.'
Joost keek me enkele ogenblikken onderzoekend aan en zei toen: 'Stop met deze pillen.'
Ik dacht dat ik hem niet goed had verstaan. 'Wat? Stoppen?'
'Ja, stoppen. Mensen die gek zijn krijgen dit medicijn voorgeschreven. Jij bent niet gek. Die dokter is niet goed bij zijn hoofd.'
'Maar ik heb niet meer over die man gedroomd sinds ik deze pillen slik,' sputterde ik. Blijkbaar was ik zelf gaan geloven in het verhaal van dokter Eikman.
'Luister, dat is toeval. Iedereen droomt wel eens vreemd. Maar dat betekent nog niet dat je een psychose hebt.'
'Is het niet gevaarlijk om te stoppen? Misschien krijg ik wel last van bijwerkingen?'
'O, kom op, Karlijn,' zei hij. 'Het is heel simpel. Als je doorgaat met deze pillen, word je vanzelf gek. Die dokter schrijft je meer pillen voor, misschien word je nog opgenomen in een inrichting, en uiteindelijk weet je niet meer wie je bent.' Hij zweeg even. 'Of je stopt met deze pillen en krijgt de controle over je leven weer terug.'
Ik staarde hem sprakeloos aan. Joost gaf me het gevoel dat ik een keuze had. En opeens – zo leek het – was ik een andere Karlijn, de oude Karlijn die weer wist wat ze moest doen.
'Gooi maar weg,' zei ik.
'Goed zo.'
Joost schudde het flesje leeg in de asbak. Gladde, roze pilletjes tussen de uitgedrukte sigaretten en as.
'We gaan dit vieren. Wacht even.' En weg was hij. Vijf minuten later kwam hij terug met een fles drank en twee glazen.

'Wat is dat?'
'Goldstrike.' Joost lachte geheimzinnig. 'In dit drankje zitten snippertjes bladgoud. Die maken kleine sneetjes in je tong waardoor de alcohol beter wordt opgenomen. Echt waanzinnig kicken.'
'Mag ik wel drinken met die pillen?'
'Wanneer heb je de laatste ingenomen?'
'Vanochtend vroeg.'
'O, geloof me, die pil is allang uitgewerkt.'
Joost gaf me een glas dat tot het randje aan toe was gevuld. Onderin het glas zag ik kleine stukjes goud drijven.
'Op jouw gezondheid.'
We klonken en sloegen de drank achterover. Het drankje was mierzoet en smaakte naar kaneel. In mijn keel vlamde een warm gevoel op. Dit was sterk spul!
Joost knikte me bemoedigend toe. 'We nemen er nog één,' zei hij.
Ik vond op dat moment alles goed. 'Oké,' antwoordde ik.
Hij kwam naast me zitten, zo dichtbij dat ik de warmte van zijn lichaam voelde. Ik glimlachte, hij schonk onze glazen bij en zei dat ik lief was. Ik glimlachte nog een keer. Joost bleef mijn glas bijvullen. Al snel kreeg ik het gevoel dat ik op het dek van een wiebelend schip zat.
Ik weet niet meer op welk moment hij over mijn arm begon te aaien. Na vier glazen? Vijf misschien? De fles Goldstrike was halfleeg. Ik probeerde rustig te ademen. En toen, heel langzaam, zoende Joost me. Mijn hart miste een paar slagen. Wazig zag ik dat hij zijn trui en T-shirt uittrok. Daarna maakten zijn handen mijn blouse en bh open. Hij drukte zich tegen me aan op een manier die geen twijfel liet bestaan over zijn bedoelingen.

'Misschien is dit niet zo'n goed idee,' murmelde ik, terwijl Joost met zijn vingers rondjes over mijn buik draaide, steeds lager en lager.
Zijn ogen kwamen heel dichtbij, een beetje donker en niet-begrijpend. 'Hoezo? Vind je het niet lekker?'
'Jawel, maar ik heb een ietsepietsie te veel gedronken.'
De waarheid was dat ik amper rechtop kon blijven zitten door de enorme hoeveelheid alcohol in mijn lijf. Ik legde mijn handen op zijn naakte borstkas. 'Je vindt het toch niet erg om te stoppen?'
Joost tilde mijn kin met zijn vinger omhoog en keek in mijn ogen. 'Ik beloof je dat het heel bijzonder wordt. Een ervaring om nooit te vergeten.'
'Ja, maar...'
'Ssst.' Hij legde zijn hand op mijn mond. 'Je moet niet meer praten.'
In één beweging tilde Joost me op en bracht me naar zijn bed. Ik wist niet dat hij zo sterk was.
'Doe je ogen maar dicht en laat mij het werk doen.'
Joost was zo lief en deed zo zijn best. Ik kon niks anders dan alles over me heen laten komen.

Godzijdank bracht Joost me op tijd weer thuis. Een kwartier later en mijn moeder had ook op de stoep gestaan. Mijn vader had waarschijnlijk geeneens gemerkt dat ik weg was geweest. Joost zei dat hij me zou bellen om weer iets af te spreken. Hij zei dat hij me lief vond. Ik antwoordde dat ik hem ook erg lief vond en ik weet zeker dat mijn wangen tot mijn haargrens vuurrood kleurden. We omhelsden elkaar en toen zoende hij me. Het werd licht en draaierig in mijn hoofd. Was ik dronken of verliefd? Ik denk allebei.

'Ik moet gaan,' mompelde hij in mijn oor. Ik vond het niet leuk om afscheid te nemen. Het liefst had ik nog uren in zijn armen gestaan. Maar Joost maakte zich los uit onze omhelzing. Hij stapte op zijn fiets en reed de weg op. 'Rustig aan, hè,' riep hij nog en toen verdween hij uit het zicht.
Het was voorbij. Ik was weer terug. Maar nu zonder pillen. Het was toch wel de goede beslissing? Ik bedoel, het is toch niet gevaarlijk om zomaar te stoppen met die pillen? O Karlijn, hou op met piekeren! Dit is gewoon een nieuw begin. Vanaf nu kan alles alleen maar beter gaan.

## Zondag 29 oktober 10.00 uur

Ik heb de nacht overleefd, zie ik als ik naast me kijk op mijn wekker. Het is tien uur, zondagochtend. De klokken van de kerk slaan in de verte. Meestal erger ik me aan het eindeloze gedingdong, maar vandaag ben ik dolblij met het geluid: ik leef nog! Vannacht durfde ik niet te gaan slapen. Ik dacht eraan dat ik alleen thuis was, terwijl ik luisterde naar de geluiden van de nacht. De politie geloofde niet dat Joost het briefje had geschreven. Maar wie dan wel? En waar zou die engerd toe in staat zijn? Zou hij me willen vermoorden? In mijn telefoon had ik het alarmnummer 112 voorgeprogrammeerd. Ik hoefde alleen maar op het groene toetsje van mijn telefoon te drukken als er iets gebeurde. Maar echt veilig voelde ik me daardoor niet.
En toen begon ik aan Karlijn te denken. Ze had zo vaak in het donker wakker gelegen, doodsbang voor die man uit haar dromen. Hoe had die psychiater in vredesnaam kunnen zeggen dat ze een psychose had? Het kon onmogelijk waar zijn. Want als Karlijn een psychose had, dan was ook ik knettergek. Ik vroeg me af waar Karlijn ooit de kracht vandaan had gehaald om door te gaan met haar leven. Ik was na één dag al verschrompeld tot een hulpeloos, angstig hoopje ellende. Wat was er pre-

cies met Karlijn gebeurd? dacht ik. En wat gebeurde er nu met mij? Wat, wat, wat, o, wat?
Blijkbaar ben ik vannacht midden in mijn gepieker in slaap gevallen. Ik trek mijn dekbed tot het puntje van mijn neus en staar naar het plafond. Hoe kom ik in godsnaam deze lange, eenzame zondag door? De tranen zitten zo hoog achter mijn oogleden dat ze vanzelf naar buiten druppelen. Ik begin verschrikkelijk te huilen. Ik lig zo heel, heel lang en voel mijn ogen en keel steeds dikker worden.
Op het moment dat ik bijna verdrink in mijn verdriet, gebeurt er iets geks diep vanbinnen. Het is alsof mijn lichaam zich schrap zet. Ik ga rechtop zitten en merk tot mijn verbazing dat ik boos ben. Ik ben niet gauw boos. Meestal stop ik mijn gevoelens ver weg zodat ze niet tot een uitbarsting kunnen komen. Maar nu voelt het alsof er een bom in mijn lichaam is geëxplodeerd. Ik ben opeens zo vreselijk kwaad. Kwaad op de man die mij gisternacht heeft bedreigd en op de rechercheur die mij niet geloofde. En ik ben ook kwaad op mezelf. Met huilen kom ik geen stap verder. Mijn hele leven ben ik verdorie al het zielige kneusje geweest. Ik mag nu niet instorten. Ik moet doorgaan. Voor mezelf. En voor Karlijn. Dit keer mag ik haar niet in de steek laten. Dit is mijn kans om die avond in augustus goed te maken.
Ik stap uit bed. Wat nu? Ik voel me een heel klein beetje flinker, maar nog lang niet veilig, laat staan moedig. Ik loop naar het raam en trek de gordijnen open. Het zonlicht stroomt naar binnen. Ik blijf even staan en voel de warmte van de zon op mijn gezicht. Ergens in mijn achterhoofd zit een gedachte verborgen die belangrijk lijkt te zijn. En dat waarschijnlijk ook is. Het heeft iets

met Joost te maken. En met ons gesprek in De Toog. Maar mijn hoofd weigert het zich te herinneren.
Ik ga aan mijn bureau zitten en pak het dagboek van Karlijn. Ik blader naar het gedeelte dat ik gisteravond heb gelezen en vlieg met mijn ogen over de zinnen. Joost had Karlijn opgehaald. Karlijn had hem alles verteld over haar dromen. Hij wilde haar pillen weggooien. Toen gingen ze zoenen... Ineens weet ik het weer! Joost had míj in De Toog verteld dat Karlijn hem niet meer wilde zien! Ze was heel erg in de war geweest en hij mocht haar niet helpen. Dat waren zo ongeveer zijn woorden geweest. Hij had dus tegen me gelogen! En waarom had hij Karlijns pillen weggegooid? Ik bedoel, ik weet nu dat Karlijn geen psychose had, maar hoe had Joost dat in godsnaam goed kunnen beoordelen?
Hoe langer ik erover nadenk, hoe zekerder ik weet dat mijn eerste gevoel klopte: er is iets heel ergs mis met Joost. Maar ik kan onmogelijk met Karlijns dagboek naar de politie. Die rechercheur ziet me al aankomen. Ik moet meer over Joost te weten zien te komen en iets vinden waarmee ik de politie wél kan overtuigen. Maar hoe? Ik weet alleen dat hij Joost heet en dat hij op vrijdagmiddag voetbaltraining heeft. Er is maar één plek die ik kan bedenken om nu naartoe te gaan. Ik trek snel wat kleren aan, haal een kam door mijn haren en ren naar buiten, naar mijn fiets.

De Toog is verlaten en een beetje donker als ik binnenkom. Ik blijf in de deuropening staan. 'Hallo? Is daar iemand?'
Het hoofd van een jongen verschijnt boven de bar. Hij

kijkt verbaasd. 'Hé, ik had niet gehoord dat er iemand was. Sorry, maar we zijn nog niet open. Om twaalf uur pas.'
Ik probeer tegen hem te glimlachen. 'O, dat maakt niet uit. Ik kom voor Steven. Hij is hier nu toch?'
'Ja, maar hij is achter aan het werk. We hebben een probleempje met een biervat. Je kan beter straks terugkomen.'
De jongen kruist zijn armen over zijn borst.
Ik kruis mijn armen ook.
We staren elkaar een lang moment aan.
'Het is nogal dringend,' zeg ik met alle overtuigingskracht die ik kan vinden. 'Ik moet hem nu spreken. Het duurt niet lang.'
De jongen zucht en haalt zijn schouders op. 'Oké. Dan haal ik hem wel, als het echt niet anders kan. Wacht hier maar.'
Het café ruikt naar oud bier en sigarettenrook. Ik drentel wat door de ruimte, langs de standaard met gratis ansichtkaarten, de sigarettenautomaat, naar de bar. En daar blijf ik staan.
'Hé, Eva,' hoor ik opeens.
Ik draai me om en sta oog in oog met Steven.
'Wat een verrassing. Je was vrijdagmiddag zomaar verdwenen. Eigenlijk was ik bang dat ik je nooit meer zou zien.' Hij knipoogt. 'Waarmee kan ik je helpen?'
Steven draagt een spijkerbroek en een strak, wit T-shirt. Ik probeer niet naar zijn armen te staren die er bruin en gespierd uitzien.
'Ik, eh... had een vraagje over iemand die hier wel eens komt.'
'Wie dan?'

'Een jongen. Hij heet Joost. Ik ben op zoek naar zijn adres. Of telefoonnummer.'
'Hmm, jammer, ik dacht dat je voor mij kwam.'
Ik weet dat Steven mijn wangen vuurrood ziet worden. Hij lacht. 'Waarom ga je niet even zitten? Dat praat wat makkelijker. Er zijn nu toch geen klanten.'
Ik pak een barkruk. Plotseling baal ik dat ik niet meer aandacht aan mijn uiterlijk heb besteed. Ik zie er zo saai uit in mijn vaal gewassen spijkerbroek en grijze capuchontrui.
'Wil je wat drinken?' vraagt Steven.
'Cappuccino. Lekker.'
'Komt eraan. Hoe heette die jongen ook alweer? Joost?' zegt Steven, terwijl hij melk in een kannetje opschuimt. Hij schudt zijn hoofd. 'Volgens mij ken ik geen Joost.'
'Het is die jongen met wie ik vrijdag aan de bar zat te praten. Hij komt hier altijd op vrijdagmiddag wat drinken met zijn voetbalelftal.'
Steven gaat op de kruk naast me zitten, met twee cappuccino's. 'Ai, dat wordt lastig, normaal gesproken werk ik namelijk niet op vrijdag. Help me eens, hoe ziet Joost er uit?'
'Donker haar, krullen, blauwe ogen. Veel meisjes vinden hem denk ik wel knap.'
'En jij ook?' Steven kijkt me grijnzend aan.
'Eh... gaat wel. Het is niet mijn type.' Ik weet zeker dat mijn wangen nu dieppaars zijn.
'Heeft hij zo'n weekendbaardje?'
Ik knik geestdriftig. 'Ja!'
'Dan weet ik waarschijnlijk wie het is. Maar ik ken hem niet. Waarom ben je eigenlijk naar hem op zoek, als ik vragen mag?'

Moet ik Steven in vertrouwen nemen? Het lijkt me verstandiger om hem niks te vertellen.
'Mijn vriendin is verliefd op hem,' zeg ik ten slotte. 'Ik probeer haar een beetje te helpen.'
'O.' Hij kijkt me verbaasd aan. 'Dus je bent voor koppelaarster aan het spelen?'
'Eh... zoiets.'
Steven zwijgt even en denkt na. 'Misschien weet Robbert wel iets over Joost.'
'Robbert?'
'Ja, de jongen die je net hebt gesproken. Hij werkt altijd op vrijdag. Ik ga het hem meteen even vragen. Heb je een momentje?'
Steven verdwijnt door een deur naast de bar. Na een paar minuten komt hij lachend terug. 'Bingo. Robbert kent zijn ex-vriendin. Ze heet Nicole Schouten. En ze woont in een studentenflat bij Strand West. Zij kan je vast meer vertellen over Joost.'
'Dank je wel.'
'Graag gedaan.' Hij pakt mijn hand en knijpt er even in. 'Zeg, misschien kunnen wij een keer wat afspreken? Als je niet op jacht bent naar andere mannen?' Steven zwijgt een paar seconden en zegt dan: 'Heb je vanavond eigenlijk al wat te doen?'
Mijn hart klopt in mijn keel, zo snel dat ik de tel kwijtraak. Steven staart me vriendelijk en geïnteresseerd aan. Hij meent het! Hij wil echt iets met me afspreken! Hoe is het mogelijk dat – net op het moment dat mijn leven compleet overhoop ligt – een jongen mij leuk vindt?
'Ik heb nog geen plannen voor vanavond,' zeg ik zo rustig mogelijk.

'Zullen we hier afspreken? Om een uurtje of acht? Dan ben ik klaar met werken.'
Ik kan alleen nog maar knikken.
We glimlachen allebei.
'Ik moet jammer genoeg weer aan het werk,' zegt Steven, terwijl hij op zijn horloge kijkt. 'Anders krijg ik ruzie met Robbert.'
'Ja, ja, tuurlijk,' stamel ik. 'Ik, eh... moet er ook vandoor. Zie je vanavond.'
'Ik verheug me erop.' Steven drukt me even tegen zich aan. Het duurt niet langer dan een paar seconden, maar mijn benen lijken net kauwgom als ik naar buiten loop.

# Zondag 29 oktober 12.30 uur

Ik kan niet ophouden met grijnzen als ik van De Toog wegfiets. Ik heb een afspraakje met Steven! En ik heb ook de naam van Joosts ex-vriendin! Wordt dit dan toch nog een goede dag? Ik besluit om direct naar Strand West te fietsen. Vorige zomer ben ik er een keer met Hanna en Marjolein geweest. Strand West is een hip stadstrand waar voornamelijk twintigers en dertigers komen die dure cocktails drinken. Eigenlijk voelde ik me er toen niet heel erg op mijn gemak. Naast het parkeerterrein stonden flats, weet ik nog. Waarschijnlijk woont Nicole Schouten daar. Ik rij via de Kinkerstraat naar de Marnixstraat, richting de Spaarndammerstraat. Strand West ligt aan de rand van Amsterdam, op een industrieterrein. Het is een buurt waar ik anders nooit kom, en een behoorlijk eindje fietsten.
Ik rem voor een rood stoplicht. Achter me toetert een auto. Ik kijk geërgerd over mijn schouder. Dat is het moment waarop ik de man zie. Hij zit op een fiets, een beetje verscholen achter de rij met wachtende auto's, en houdt zijn hoofd omlaag. Ik kan zijn gezicht niet zien. Het kan zijn dat hij zomaar achter me staat, maar iets zegt me dat het geen toeval is. De man heeft iets verdachts met zijn zwarte regenjas, baseballpetje en zonnebril.

Het stoplicht springt op groen. Ik fiets snel weg. Hopelijk gaat die man een andere kant op. Ik trap stevig door. Aan het eind van de Marnixstraat kijk ik nogmaals over mijn schouder. Verdorie, die vreemde gast fietst nog steeds achter me. Een beetje zenuwachtig versnel ik mijn tempo. Ik negeer een rood stoplicht en stuur een willekeurige zijstraat in. Zonder vaart te minderen kijk ik achterom. De man is ook de zijstraat ingereden. Ineens weet ik het zeker: ik word achtervolgd! Ik ga nog sneller trappen. De persoon achter me versnelt ook. Angst knijpt mijn keel dicht en ik haal moeizaam adem. Ik maak een scherpe bocht naar links.
Een stomme beslissing, want ik kom terecht in een verlaten straatje. 'Help,' roep ik, maar er zijn hier geen mensen die me kunnen horen. Ik negeer de steken in mijn zij en race over het asfalt. Opeens houdt het fietspad op en de straat duikt in een helling naar beneden. Ik rem. Wat moet ik doen? Zo'n vijf meter lager loopt een ander fietspad, parallel aan een kanaal. Ik kijk naar de helling, maar die is erg steil. Ik kijk naar achteren, en zie mijn achtervolger steeds dichterbij komen. Omkeren is geen optie. Ik haal diep adem, pak de handvatten van mijn fiets stevig beet, en rij naar beneden. Stuiterend stuur ik over de stenen, steeds sneller en sneller. Een tak striemt in mijn gezicht en ik moet uitwijken voor een boom. Het achterwiel van mijn fiets slipt en ik verlies de macht over het stuur. Met een doffe klap beland ik op het fietspad. Ik krabbel overeind en pak mijn fiets. Mijn spijkerbroek is gescheurd en een brandend gevoel op mijn knieën en handpalmen dringt tot me door. Ik kijk omhoog. Bovenaan de helling staat de man. Onbeweeglijk staart hij me aan.

Ik ga niet afwachten of hij naar beneden komt. Ik spring op mijn fiets en ga er als een speer vandoor. Langs het kanaal, over een brug, een drukke straat in; ik heb geen idee meer waar ik ben, en hopelijk is die man mijn spoor ook bijster. Mijn ademhaling piept en na zo'n tien minuten durf ik eindelijk te stoppen. Trillend leun ik tegen mijn fiets. Een stroom fietsers en auto's passeert me, maar mijn achtervolger is nergens te bekennen. Ik wacht nog een paar minuten totdat ik zeker weet dat hij me niet is gevolgd. Even voel ik de neiging om naar huis te gaan. Maar ik realiseer me dat dat waarschijnlijk precies is wat die man wil. Het is echt van groot belang dat ik de ex van Joost zo snel mogelijk spreek. Ik móét doorgaan, niet bang zijn, niet nadenken.

Een half uur later sta ik eindelijk voor Strand West. Ik zet mijn fiets tegen een boom op slot. Mijn knieën doen nog steeds pijn en ik klop wat modder van mijn spijkerbroek. In de zomer is Strand West afgeladen vol. Nu ziet het strandje er verlaten en een beetje troosteloos uit. Ik steek het parkeerterrein over en loop naar de eerste flat. Geen Nicole Schouten, zie ik op de naambordjes. Bij de tweede flat heb ik meer geluk. Op nummer 23 woont een Nicole Schouten. Ik bel aan. Na een paar seconden hoor ik een meisjesstem door de intercom zeggen: 'Wie is daar?'
'Eh... Eva Nieboer. We kennen elkaar niet, maar ik heb je naam van iemand in De Toog doorgekregen. Zou ik je even kunnen spreken?'
Een stilte. 'Waarover?'
'Dat is een lang verhaal. Mag ik bovenkomen?'
'Nu?'
'Het is belangrijk. Alsjeblieft,' smeek ik.

Ik hoor een diepe zucht door de intercom. 'Vooruit. Maar ik sta op het punt om weg te gaan. Ik heb maar een paar minuten.'
De zoemer gaat en ik druk de deur open. Ik neem de lift naar de tweede verdieping en loop over de galerij naar nummer 23. De deur is al open voordat ik er ben. Een meisje van ongeveer twintig jaar staat in de deuropening. Ze heeft lang bruin haar en blauwe ogen. Eigenlijk lijkt ze wel een beetje op Karlijn.
'Nicole Schouten?' vraag ik.
'Ja.'
Ik steek mijn hand uit. 'Hai, ik ben Eva Nieboer. Fijn dat ik boven mocht komen.'
Nicole schudt mijn hand, maar niet van harte.
'Waarover wilde je me spreken?'
'Jij bent toch de ex van Joost?'
'Ja.' Ze kijkt me wantrouwig aan. 'Sorry, maar ik heb geen zin om over hem te praten.' De deur gaat halfdicht. 'Wacht,' roep ik en ik zet mijn voet voor de deur. 'Het is heel belangrijk. Mijn vriendin is dood. En ik denk dat Joost er wat mee te maken heeft.'
Er verschijnt een geschrokken blik in haar ogen. 'Dat meen je niet.'
'Het spijt me,' zeg ik. 'Ik overval je. Maar ik weet gewoon niet meer wat ik moet doen. Wil je me alsjeblieft binnenlaten?'
De deur zwaait open. 'Oké dan. Kom maar binnen.'
Ik loop de gang in. Nicole gaat me voor naar de huiskamer. Ik ga op de bank zitten en kijk om me heen. Aan de muur hangen foto's van een lachende Nicole. Ik speur naar het gezicht van Joost, maar ik kan hem niet op de foto's ontdekken.

'Wil je iets drinken?' vraagt ze.
'Nee, dank je.'
Nicole gaat in de stoel tegenover me zitten en kijkt me onderzoekend aan. 'Het spijt me dat ik daarnet zo onaardig deed. Maar Joost Verheijen is niet mijn favoriete gespreksonderwerp. Pas maar op met hem. Het is niet zo'n fijne jongen.'
'Hoezo?'
Ze staart een moment uit het raam. 'Tja, hoe zal ik dat eens uitleggen? In april werd hij mijn vriendje. De eerste weken waren geweldig. Ik bedoel, Joost is knap en hij kan heel charmant overkomen. Maar langzaam begon hij te veranderen. Hij werd agressiever. Om niks kon hij kwaad worden. En hij liet me ook dingen doen die ik eigenlijk niet wilde.' Nicole steekt een sigaret op en inhaleert diep. 'Dingen in bed... Als ik geen zin had, kregen we ruzie. In augustus heb ik het uitgemaakt.'
Augustus? Dat was een maand voordat Karlijn hem tegenkwam in het Oosterpark!
'Waarom heb je het uitgemaakt?' vraag ik gespannen.
'Omdat hij me heeft geslagen. En hard ook.'
Ik kijk haar verschrikt aan.
'Moeilijk te geloven, hè?' Ze neemt nog een trek van haar sigaret. 'We kwamen thuis na een avond drinken. Joost was boos omdat ik even met een andere jongen had gepraat. Ik zei dat hij zich niet moest aanstellen. En toen sloeg hij me. Met zijn vuist. Ik had een bloedneus en ben meteen weggegaan.'
'Wat erg,' zeg ik. Ik voel een misselijkmakende afkeer jegens Joost in me opkomen.
'Ja,' zucht Nicole. 'Hij heeft me nog wekenlang gestalkt en 's nachts wakker gebeld. Via de politie heeft hij een

straatverbod gekregen. Joost scheen al een strafblad te hebben, omdat hij zijn vorige vriendin een gebroken kaak had geslagen. Ik heb hem de laatste anderhalve maand niet meer gezien. Waarschijnlijk heeft hij weer een nieuw meisje gevonden.'

'Dat was Karlijn Simonsen, mijn vriendin.' Ik probeer de angst die me plotseling overvalt niet te laten doorklinken. 'En ze is nu dood.'

Nicole drukt haar sigaret in een asbak uit. 'Zoiets zei je daarstraks al. Maar hoe weet je zo zeker dat Joost iets met haar dood heeft te maken? Hij is gestoord, en gewelddadig, maar een moordenaar? Dat kan ik me niet voorstellen.'

'Wacht maar totdat je het hele verhaal weet.'

'Vertel.'

Ik vertel haar alles. Nicoles gezicht gaat steeds bezorgder staan. Als ik ben beland bij mijn dreigbrief en de wilde fietsachtervolging, valt haar mond open.

'Jezus. Hoe is het mogelijk!' roept ze. 'Denk je dat Joost je vanmiddag heeft achtervolgd?'

'Dat zou heel goed kunnen.'

We kijken elkaar aan.

'Hij is nog gekker dan ik dacht,' zegt Nicole. 'Je moet naar de politie. Stel je voor dat jou ook iets overkomt.'

'Ik ben al bij de politie geweest. Ze geloofden me niet. Daarom ben ik zelf op onderzoek uitgegaan.' Ik glimlach voorzichtig. 'Met deze nieuwe informatie over Joost moeten ze me wel serieus nemen.'

Nicole knikt. 'Wacht even,' zegt ze plotseling. 'Wanneer begonnen die vreemde dromen van je vriendin ook alweer?'

'Eh... ergens in augustus, hoezo?'

Ze blaast haar adem luidruchtig uit. 'Dat is niet logisch. Toen had ze nog niks met Joost.'
Ik staar haar verbijsterd aan. Dat ik daar zelf nog niet aan heb gedacht! Karlijn was Joost in augustus nog niet tegengekomen. Ik zak achterover in de kussens van de bank. 'Dat is inderdaad vreemd,' zeg ik zacht. Meer weet ik niet uit te brengen. Met één opmerking heeft Nicole mijn waterdichte theorie aan flarden geschoten.
'Ach, daar zal vast een goede verklaring voor zijn.' Nicole lijkt er niet zo zwaar aan te tillen. 'Misschien had Joost haar al veel eerder op het oog. Maar dat moet de politie maar gaan uitzoeken.'
Nicoles mobiele telefoon gaat over. Ze kijkt me verontschuldigend aan. 'Dat is mijn afspraak. Sorry, maar ik moet echt weg. Ik ben al een half uur te laat.'
'Geen probleem,' zeg ik. 'Je hebt me geweldig geholpen.'
We lopen samen naar het parkeerterrein. Nicole opent de deur van een rood autootje. 'Wil je meerijden?' vraagt ze. 'Ik kan je ergens in de stad afzetten?'
'Bedankt, maar ik ben met de fiets.'
Nicole omhelst me alsof we vriendinnen zijn. 'Wees voorzichtig.' Dan stapt ze in en rijdt ze toeterend weg.
Ik blijf alleen achter op het parkeerterrein en kijk om me heen. Alles lijkt normaal. Maar voor de zekerheid besluit ik om een route naar huis te nemen met veel verkeer en mensen. Tijdens het fietsen probeer ik mijn gedachten te ordenen. Dit was een bizarre middag. Ik ben achtervolgd en ik heb van Nicole gehoord dat Joost agressief en gewelddadig is. Genoeg informatie om de politie te overtuigen, toch? Toch zeurt Nicoles opmerking maar door mijn hoofd: Karlijn kende Joost nog niet toen haar vreemde dromen begonnen. Ik heb het idee

dat ik iets mis. Maar wat? O, ik kan mezelf wel door elkaar schudden. Ik besluit om morgenochtend, samen met mijn moeder, naar de politie te gaan. Dan moet die rechercheur wel naar me luisteren. Vanmiddag ga ik verder lezen in Karlijns dagboek. Wie weet kan ik nog meer vreemde dingen ontdekken over Joost.

## Dinsdag 26 september

Zeer vreemde dag achter de rug. Soms denk ik dat mijn leven nooit langer dan een paar dagen goed kan gaan, om daarna weer genadeloos in te storten. Sinds vrijdag voelde ik me een stuk beter. Scherper, vrolijker, met meer energie. Net alsof ik mezelf weer had teruggevonden door te stoppen met die pillen. Het is de afgelopen dagen zelfs een paar keer gebeurd dat ik dacht: alles komt weer goed. Joost is ook superlief. Hij heeft me de afgelopen dagen veel gebeld en ge-sms't, en ik zie hem vrijdag weer, maar goed, dat is een ander verhaal.
Vanochtend ging alles nog prima. Om elf uur had ik een afspraak bij dokter Eikman. Mama wilde met me meegaan, maar ik zei dat ik liever alleen ging. De bemoeizucht van mijn moeder wordt me allemaal wat te veel. Natuurlijk vond ze het niet leuk. Eén seconde dacht ik zelfs dat ze boos zou worden. Maar dat deed ze niet. 'Prima,' zei ze redelijk kalm. 'Als je maar niet te lang wegblijft.'
Dokter Eikman zat kaarsrecht achter zijn bureau toen ik zijn kamer binnenkwam. Hij glimlachte en zei dat ik op de bank mocht gaan zitten.
'Je ziet er wat beter uit,' zei hij.
'Die pillen helpen goed,' loog ik.
'Mooi. Dan gaan we daar nog een tijdje mee door.'

Hij moest eens weten! dacht ik.
Dokter Eikman schreef wat in mijn dossier en vroeg ondertussen: 'Heb je nog vreemde dromen gehad?'
'Nee.'
Eerlijk gezegd was ik daar wel bang voor geweest nadat ik met mijn medicijnen was gestopt. Maar die enge man was godzijdank weggebleven.
'Hoe voel je je verder?' zei hij.
'Veel opgewekter.'
'Uitstekend.'
Dokter Eikman glimlachte. Ik ook.
We praatten nog wat over mijn stemmingen. En toen vroeg hij naar mijn vader. Hoe het met zijn depressie ging.
En hoe de sfeer thuis was. Ik schoof een beetje ongemakkelijk over de bank.
'Gaat wel,' antwoordde ik.
'Licht eens toe,' zei dokter Eikman, blijkbaar niet tevreden met dit antwoord.
Uiteindelijk vertelde ik hem maar dat het niet zo goed met mijn vader ging. En dat ik me geen raad wist met de situatie thuis.
'Hoe bedoel je?' Dokter Eikman keek me peinzend aan.
Ik slikte moeilijk. 'Mijn vader zit de hele dag stilletjes voor zich uit te staren. En soms begint hij opeens te huilen. Ik weet gewoon niet hoe ik dan moet reageren, snapt u wel.'
'Weet je vader dit ook?'
'Nee. Ik durf niks tegen hem te zeggen.'
'Ben je boos op je vader?'
Pfff, dokter Eikman ging maar door met zijn kruisverhoor.
'Ja, nee, ik bedoel... ik voel me in de steek gelaten.'
'Waarom?'

Ik haalde hulpeloos mijn schouders op. 'We hadden vroeger zo'n goede band. Hij was er altijd voor me. Nu mag ik blij zijn als hij niet vergeet "goedemorgen" tegen me te zeggen.'
'En je moeder?'
'Die wil alleen maar de baas over me spelen. En al helemaal nu ik ziek ben.' Mijn ogen begonnen te prikken. 'Ik wou dat mijn vader weer normaal werd. Dat alles weer normaal werd...'
Toen hield ik op met praten, want ik had opeens het gevoel dat ik mijn vader had verraden door dit allemaal te zeggen. Ik kreeg het verschrikkelijk warm.
Misschien wist dokter Eikman wat ik dacht, want hij zei: 'Karlijn, voor familieleden zijn depressies een zware belasting. Het kan leiden tot gevoelens van eenzaamheid, schuld en machteloosheid. Je moet beseffen dat je vader erg ziek is. Hij wil er waarschijnlijk wel voor je zijn, maar hij kan het niet. En jij kan daar niks aan veranderen. Dit is zijn gevecht. Net zoals jij ook zelf weer beter moet gaan worden.'
Mijn lip trilde en ik knikte.
Dokter Eikman glimlachte en zei verrassend vriendelijk: 'Jullie maken als gezin een moeilijke tijd door. Maar het komt allemaal goed, geloof me.'
Plotseling zat ik keihard te janken. Ik schaamde me werkelijk dood. Waarschijnlijk was ik niet de eerste patiënt die in tranen uitbarstte, want dokter Eikman toverde binnen een paar seconden een tissue tevoorschijn.
'Ik ben blij met je openhartigheid,' zei hij. 'De volgende keer wil ik graag over de relatie met je moeder praten.'
En toen was het uur voorbij.

En stond ik weer buiten.
Met opgezwollen ogen, een loopneus en branderige wangen. Ik moest eerst vijf minuten op de stoep zitten met een sigaret voordat ik rustig genoeg was om weg te fietsen.

Maar ik ging niet naar huis, zoals ik mijn moeder had beloofd. Mama zou me waarschijnlijk urenlang hebben doorgezaagd over de sessie met dokter Eikman, en daar had ik geen zin in. Ik besloot om even langs Puck te fietsen. Ze had me zo vaak ge-sms't en gebeld, en ik had zo weinig van me laten horen. Achteraf denk ik: was ik maar naar huis gegaan. Maar ja, wist ik veel dat Puck en ik ruzie zouden krijgen...
Rond half één stond ik voor Pucks huis. Op dinsdag hebben we tot twaalf uur les, dus ze moest wel thuis zijn, had ik bedacht. Ik zette mijn fiets tegen een lantaarnpaal en pakte mijn telefoon. Grijnzend drukte ik op het telefoonnummer achter Pucks naam. Ik baalde enorm toen ik haar voicemail kreeg. Ik wachtte even en probeerde het opnieuw. Misschien zat haar telefoon onder in haar tas of zoiets. Op het moment dat ik wilde ophangen, nam ze plotseling op.
'Karlijn!' riep Puck. 'Wat fijn dat je belt! Hoe gaat het?'
Ik moest bijna huilen toen ik haar stem hoorde, zo erg had ik haar gemist.
'Mmm, het gaat wel aardig,' antwoordde ik.
'Gelukkig. We hebben ons zo'n zorgen gemaakt. Een hersenschudding is echt heftig. Ik dacht dat...'
'Zeg,' viel ik haar in de rede. 'Waar ben je nu?'
'Eh... thuis. Hoezo?'
'Kijk eens uit het raam.'
'Waarom?' Puck klonk met de seconde verbaasder.

'Doe het nou maar gewoon.'
Ik keek omhoog naar haar slaapkamerraam en Pucks hoofd verscheen. Ik lachte en zwaaide.
Het bleef even stil aan de telefoon.
'Puck? Hallo? Ben je daar nog?'
'Karlijn? Wat doe jij hier?'
'Verrassing. Ik was in de buurt.' Ik wees naar de deur. 'Doe eens open, slome.'
'Ja, ja, tuurlijk. Ik kom eraan.'
Pucks hoofd verdween en even later hoorde ik gestommel en voetstappen. De deur zwaaide open. Ik had gedacht dat Puck me om de hals zou vliegen, maar ze keek me alleen maar aan. En ik haar. Ze had een waanzinnig vette outfit aan: een wijd jurkje met daaronder een legging en korte enkellaarsjes. Eigenlijk zag ze er uit alsof ze naar een discotheek ging, en niet net uit school kwam. Nou ja, een beetje dan.
Ik deed als eerste een stap naar voren, en daarna Puck, en toen omhelsden we elkaar.
'Ik heb je zo vreselijk gemist,' zei ik.
'Ik jou ook,' mompelde Puck. 'Ik heb je veel te lang niet gezien.'
We liepen naar Pucks kamer. Ik ging op een stoel zitten en Puck plofte neer op haar bed. Alles was nog precies hetzelfde als de laatste keer dat ik er was geweest: de tientallen fotolijstjes hingen nog steeds aan de muur, de stapels papier op haar bureau waren niet verschoven, en er zaten nog steeds colavlekken in haar vloerbedekking. Toch voelde het anders dan anders. Kwam het door de peinzende blik in Pucks ogen? Of was ik gewoon een beetje gespannen na mijn sessie met dokter Eikman?
'Is je hersenschudding weer helemaal over?' vroeg Puck.

'Eh... tja, nou, het is wel eens beter met me gegaan. Maar het ergste is gelukkig voorbij.'
Ooit, ooit, ooit zou ik haar de waarheid vertellen. Ik zweer het. Maar op dat specifieke moment in Pucks kamer kon ik het gewoon niet.
'Fijn, joh.' Puck kauwde op haar lip. 'Wanneer mag je weer naar school? Ik had het er vandaag met Noor en Julia nog over. Het is zo ongezellig zonder jou.'
Dat deed me goed. 'Ik verveel me thuis dood. Hopelijk mag ik snel weer naar school. Maar de dokter heeft er nog niks over gezegd.'
We praatten nog wat over school. Puck vertelde dat ze hard aan het leren was voor de toetsweek in oktober. Ik knikte. School, toetsen, eindexamen; het leek iets van een andere planeet. Ik kon me nauwelijks meer voorstellen dat ik me er ooit druk over had gemaakt. Toen begon Puck over het nieuwe vriendje van Julia. Het moet ergens in het midden van haar verhaal zijn geweest, dat ik plotseling vroeg: 'Hoe gaat het eigenlijk met Nout?'
Puck trok een fractie van een seconde haar wenkbrauwen op. Het was maar heel even, maar het was genoeg voor mij om te weten dat ze het een vreemde onderbreking vond.
'O, wel goed, geloof ik,' zei ze.
Eigenlijk, eigenlijk, vond ik dat niet leuk om te horen. Maar toen dacht ik meteen weer: stel je niet aan Karlijn, het is uit. Wees blij dat het goed gaat met Nout.
Maar toch kon ik het niet laten om te zeggen: 'Hij heeft me niet gebeld sinds ik ziek ben. Vind je dat niet raar?'
'Nou, nee,' zei Puck en ze moest lachen. 'Ik zou het eerder raar vinden als hij je wél had gebeld. Jullie zijn niet bepaald als vrienden uit elkaar gegaan. Hoe gaat het eigenlijk met jou en Joost? Nog steeds verliefd?'

'Ja,' antwoordde ik zonder er verder op in te gaan. 'Zeg, heeft Nout al met iemand anders gezoend?'
Puck zuchtte. 'Volgens mij niet. Tenminste, niet dat ik weet.' Ze haalde haar schouders op. 'En daarbij, wat zou het uitmaken? Hij is tenslotte je ex.'
Nu ik ons gesprek zo opschrijf, besef ik dat dit het moment was waarop Puck een beetje geïrriteerd werd.
Ik had dat alleen nog niet door. Nee, ik maakte het zelfs erger door te roepen: 'Nout heeft wel gezoend! Ik zie het aan je gezicht. Heb ik gelijk? Je houdt iets voor me achter, hè?'
Deze opmerking viel niet goed. Er viel een doodse stilte.
'Natuurlijk niet,' zei Puck uiteindelijk. 'Hoe kun je zelfs maar denken dat ik iets voor je achterhou?'
'Omdat je bang bent dat ik instort. Maar het maakt me echt niet uit,' riep ik stoerder dan ik me voelde. 'Zeg dan met wie hij heeft gezoend! Is het soms dat blonde meisje uit de vierde klas? Fleur heet ze toch?'
'Jezus, Karlijn,' snauwde Puck. 'Slik een pil of zo. Maar kap alsjeblieft met dit hysterische gedoe. Nout heeft met niemand gezoend. Hoe vaak moet ik dat nog zeggen? Je gedraagt je als een gefrustreerde idioot.'
Sprakeloos staarde ik haar aan. Ik voelde me enorm beledigd. Maar Puck was nog niet klaar met haar preek.
Ze kneep haar ogen halfdicht en vervolgde koel: 'Misschien moet je maar alvast gaan wennen aan het idee dat hij ooit weer een nieuwe vriendin krijgt. Nout blijft echt niet voor eeuwig om je treuren. Zijn leven gaat ook zonder jou verder, hoor.'
Toen stond ze op. 'Ik moet gaan. Ik heb zo een afspraak bij de kapper. Het spijt me.'
'O, oké.' Ik stond ook op. Wat moest ik anders doen?

Puck pakte haar tas en deed wat lipgloss op haar lippen. 'Zullen we snel iets afspreken? Misschien kunnen we binnenkort wat met Noor en Julia gaan drinken?'
Ik had bijna tegen haar geroepen: 'Waarom doe je zo vreemd?' Maar ik zei: 'Dat lijkt me gezellig.' Opeens wist ik zeker dat ik zou gaan huilen. Ik beet op mijn lip en liep achter Puck aan naar buiten.
'Fiets je een eindje mee?' vroeg ik.
'Sorry, maar ik moet de andere kant op,' zei Puck. 'We bellen nog, goed?' Ze stapte op haar fiets en reed weg.
Ik keek haar na tot ze was verdwenen. Toen barstte ik in tranen uit. Nooit eerder hadden Puck en ik ruzie gemaakt. Misschien had ik me minder ellendig gevoeld als ze het ook vervelend had gevonden. Maar Puck had gedaan alsof er niks aan de hand was.
Snotterend reed ik door de stad. Ik kwam langs het Vondelpark en fietste naar binnen. Ik stopte bij een bankje en ging zitten. Zeker een half uur lang staarde ik wezenloos voor me uit. Ik leek mijn vader wel. Waarschijnlijk had ik de man nooit gezien als er achter me geen kind was gaan huilen. Daardoor keek ik over mijn schouder en zag ik hem staan. Half verscholen achter een boom. Op zo'n tien meter afstand. Met een lange, zwarte jas en een petje over zijn ogen getrokken. Toen hij zag dat ik hem zag, draaide hij zich om en verdween hij in de bosjes.
Had die vent daar toevallig gestaan, of niet? Gatver, plotseling kreeg ik visioenen van mannen die me in het park achtervolgden. Het leek me beter om nu maar naar huis te gaan. Tijdens het fietsen dacht ik af en toe een glimp van die man op te vangen. Maar ik wist het niet zeker.
Ik zei tegen mezelf: rustig Karlijn, natuurlijk word je niet

gevolgd. Toch was ik blij toen ik de voordeur achter me dichttrok. Ook al deed mijn moeder superpissig omdat ik zo laat thuis was gekomen. Al met al een zeer matige dag...!

## Vrijdag 29 september 14.30 uur

Ben in alle staten. Ik heb die vreemde man net weer gezien! Dat kan geen toeval meer zijn! Ik ontdekte hem doordat ik stiekem een peuk wilde gaan roken in mijn kamer. Ik had het raam wijd opengezet, en me al bijna omgedraaid, toen ik plots uit mijn ooghoek iets zag. Een silhouet aan de overkant van de straat met een zwarte jas en petje. Mijn hart sprong bijna uit mijn borstkas. De man keek naar me. Ik voelde het, ook al kon ik zijn ogen door de enorme zonnebril die hij droeg niet zien.
Ga weg, ga weg, ga weg, dacht ik. Maar die engerd bleef onbeweeglijk staan. Ik trok het gordijn dicht en leunde trillend tegen de muur. Twintig minuten later durfde ik pas weer te kijken. Godzijdank was de man verdwenen.
Help, o, help! Wat moet ik doen? Ik droom niet meer over freaks, maar ik zie ze nu gewoon in het park en op straat. Ben ik weer gek aan het worden? God, alsjeblieft niet. Ik kan dit niet meer aan. Ga vlug Joost bellen of we elkaar vanmiddag eerder kunnen ontmoeten. We hadden om vier uur bij hem thuis afgesproken, maar dit is een noodgeval. Hopelijk weet hij wat ik moet doen.

# Zaterdag 30 september

Mijn afspraak met Joost verliep gistermiddag niet helemaal zoals ik had verwacht. Maak zo langzamerhand met al mijn vrienden ruzie... Straks eindig ik als Remi, in Alleen op de wereld.
Toen ik Joost gisteren opbelde met de vraag of ik hem eerder kon zien, reageerde hij heel lief.
'Kom maar wanneer je zin hebt. Ik ben gewoon thuis.'
Ik zei tegen mijn moeder dat ik een ommetje ging maken. Godzijdank deed ze dit keer niet moeilijk. Op mijn hoede maakte ik mijn fiets los. Een vuilnisman drentelde opvallend lang over de stoep, onze overbuurman bleef maar in zijn voortuin staan, en aan de overkant van de straat parkeerde een auto zonder dat er iemand uitstapte. Alles leek opeens vreemd en verdacht.
Ik racete zo snel als ik kon naar Joost, terwijl ik angstvallig de omgeving in de gaten hield. Hijgend en bezweet kwam ik aan.
'Hoi,' zei Joost toen hij de deur opendeed. 'Jeetje, jij hebt haast. Ik had je tien minuten geleden nog aan de telefoon.'
'Ik móést je zien,' mompelde ik.
'Wil je iets drinken?'
'Eh... nee. Zullen we meteen naar je kamer gaan?'

'Nou, nou, jij laat er geen gras over groeien.' Hij knipoogde. 'Dat waardeer ik wel in een vrouw.'
We liepen omhoog. 'Er is iets afschuwelijks gebeurd,' barstte ik los, nog voordat we goed en wel in zijn kamer stonden.
'Mmm,' zei Joost terwijl hij de deur dichtdeed en naar de stereo liep. 'Wat dan?'
Ik haalde diep adem en zei: 'Sinds dinsdag word ik achtervolgd door een vreemde man. Ik heb hem nu al twee keer gezien. Eén keer in het Vondelpark. En vanmiddag stond hij opeens voor mijn huis.'
Joost rommelde in een stapel met cd's en keek me ondertussen afwezig aan. 'Eh... sorry, wat zei je? Achtervolgd? Door een man?'
'Ja!' riep ik. 'Misschien loop ik wel gevaar. Ik bedoel, eerst droom ik gek, en nu zit er plotseling een vent achter me aan. Er moet een verband tussen bestaan, denk je ook niet?' Ik ging op de rand van zijn bed zitten en staarde hem hulpeloos aan.
Joost zette een cd van James Morrison op en kwam naast me zitten. Hij was even stil. 'Je meent het,' zei hij ten slotte.
'Ik ben zo bang.' Mijn stem trilde. 'Iedereen denkt dat ik gek ben. Jij bent de enige die me serieus neemt.'
'Het is allemaal vast niet zo erg als het lijkt,' zei Joost. Hij sloeg een arm om mijn schouders. 'Niet zo sip kijken. Ik ben nu toch bij je?'
'Denk je dat ik naar de politie moet gaan?'
'Nee, joh. Ze zien je al aankomen.'
'Wat moet ik dan doen? Straks overkomt me iets ergs.'
'Kom op, Karlijn. Er is niks aan de hand.' Joost zuchtte en klonk een beetje vermoeid. 'Je hebt twee keer een

vreemde man gezien. Ik kom dagelijks legio rare figuren tegen in Amsterdam. Daar zoek ik toch ook niets achter?'
'Maar er is echt wat mis, ik voel het gewoon.'
'Er is absoluut wat mis,' zei Joost grijnzend. 'We verdoen onze tijd hier met gesprekjes over wildvreemde mannen. Ik heb een veel beter idee.' Hij begon me te zoenen.
Maar ik wilde niet zoenen. Ik wilde mijn verhaal kwijt, gerustgesteld worden, lieve woordje horen. Ik stond op.
'Sorry, maar mijn hoofd staat hier niet naar.'
'Hè, toe nou, Karlijn,' zei Joost en hij trok me weer terug op het bed. 'Ontspan. Dit zal je goed doen. Over een half uur ben je al je problemen vergeten.'
Hij ging bovenop me liggen en drukte zijn lippen op mijn hals.
'Niet nu,' murmelde ik. 'Ik voel me echt niet goed.'
Joost hijgde en stopte zijn hand in mijn spijkerbroek.
'Mmm, maar dit voelt wel goed. Erg goed zelfs.'
'Nee! Stop!' riep ik en ik duwde hem van me af. Ik had meteen spijt van mijn uitval. Joost staarde me strak aan, zonder enige uitdrukking op zijn gezicht.
'Wat mankeert jou?' vroeg hij scherp.
'Ik kan dit nu niet,' stamelde ik. 'Dat begrijp je toch wel?'
'Best, doen we het niet,' reageerde hij kortaf.
Dit was de eerste keer dat ik hem zo onvriendelijk meemaakte. Ik voelde een brok in mijn keel opkomen.
'Het spijt me,' zei ik zacht.
'Het spijt mij ook.'
Hij ging staan en stopte de flappen van zijn overhemd in zijn broek. 'Ik probeer lief voor je te zijn, en je te troosten, maar jij gedraagt je verdorie als een afstandelijke ijskast. Hoe denk je dat ik me daardoor voel?'

Ik krabbelde overeind. 'Het spijt me echt. Het ligt niet aan jou. Je moet me geloven.'
Joost haalde zijn schouders op. 'Dat zal dan wel.'
'Je bent toch niet boos op me? Alsjeblieft?' Dat idee kon ik niet verdragen.
'Hmmm,' zei hij alleen maar.
Ik ging op mijn tenen staan en gaf hem een zoen op zijn mond. Joost kuste me terug, maar het was geen prettige kus. Hij zoende te hard. Het deed zelfs een beetje pijn. Toen duwde hij me van zich af.
'Zullen we iets leuks gaan doen? Een dvd kijken, of zo?' vroeg ik onzeker. Ik wilde zo graag dat hij weer aardig tegen me deed.
'Nee,' zei Joost onverschillig. 'Daar heb ik geen tijd voor. Ik heb morgen een tentamen. En ik moet nog heel veel doen.'
'O.' De brok in mijn keel werd steeds groter en ik moest vechten tegen mijn tranen. 'Dan ga ik maar naar huis.'
Ik hoopte dat Joost me zou tegenhouden, maar dat deed hij niet.
'Prima,' antwoordde hij.
'Wanneer zie ik je weer?' zei ik en haalde diep adem, omdat ik niet wilde huilen waar Joost bij was.
'Binnenkort. Ik bel je nog wel. Zou je de deur achter je willen dichtdoen?' Hij draaide zich om en liep naar zijn bureau. En hij keek niet meer om toen ik zijn kamer uitliep.
Je snapt dat ik helemaal overstuur thuiskwam. Ik heb de hele nacht liggen piekeren. Ik zou willen dat ik kon wegrennen uit de puinhoop die mijn leven was geworden en alles achter me kon laten. Maar ik lag roerloos in mijn bed, platgedrukt en lamgeslagen door al mijn problemen.

Ik viel tegen de ochtend eindelijk in slaap en droomde over Joost. We lagen in bed. Hij zei: 'Ik wil je nooit meer zien.' Plotseling was Joost verdwenen en zat Nout naast me. Ik was zo blij om hem te zien. 'Help me, alsjeblieft,' riep ik. 'Alles gaat mis.' Nout keek me heel lief aan. 'Niet zo sip kijken,' zei hij. 'Ik ben nu toch bij je? Ik laat je nooit alleen.'
Ik werd met steken in mijn maag wakker. Voor het eerst sinds weken verlangde ik ernaar om bij Nout te zijn. Idioot, hè? Het gaat echt niet goed met me.

# Zondag 29 oktober 19.00 uur

Ik sla Karlijns dagboek dicht en rek me uit. De hele middag heb ik aan één stuk door gelezen. Karlijn was ook achtervolgd door een enge man! Ik twijfel er niet aan dat we achterna zijn gezeten door dezelfde gek. En Joost had vreselijk onaardig tegen haar gedaan. Jammer genoeg is dat geen echt bewijs, maar zijn gedrag is wel ronduit vreemd te noemen. Hopelijk vindt de politie dat morgenochtend ook.
Met een diepe zucht leg ik het schriftje neer op mijn bureau. Nog een paar bladzijden en dan houdt het dagboek op. Aan de ene kant wil ik per se weten wat Karlijn heeft geschreven, maar ergens wil ik ook niet weten wat er die laatste dagen voor haar dood allemaal is gebeurd. Het lijkt me vreselijk moeilijk om haar laatste woorden, zinnen en gevoelens te lezen. En nog erger, ik zal definitief afscheid van Karlijn moeten nemen. Tenminste, zo voelt het. Door haar dagboek is ze al die tijd zo dichtbij geweest. Alsof we weer vriendinnen waren. Straks kan ik nooit meer over haar lezen. Het idee alleen maakt me verdrietig.
Ik dwing mezelf aan iets anders te denken. Aan Steven. Het werkt. Ik voel me een beetje vrolijker. En ik word nog vrolijker van de gedachte dat ik hem over een klein

uurtje zie in De Toog. Vanmiddag stond ik op het punt om onze afspraak af te zeggen. Ik bedoel, stel je voor dat die gek op zijn fiets weer zou opduiken? Wat moest ik dan doen, alleen in het donker op straat? Maar de gedachte aan afzeggen bezorgde me nog meer buikpijn. Misschien was dit wel mijn enige kans op een afspraakje met Steven. En toen begon ik te denken: ik ben hier thuis ook alleen. Ik kan beter onder de mensen zijn. Daarbij, ik hoef niet te fietsen, ik kan ook de tram nemen. Ik moest gewoon gaan, dat wist ik opeens heel zeker.

Op mijn horloge zie ik dat ik nog een half uur heb om me aan te kleden en op te maken. Ik loop naar mijn kast en trek de deuren open. Eén voor één pak ik mijn kledingstukken en gooi ze op mijn bed. Oude spijkerbroeken, een paar goedkope truien en bloesjes van de H&M, vaal gewassen T-shirts; alles lijkt opeens zo vreselijk saai. Eén ding weet ik zeker: dit kan ik vanavond absoluut niet dragen. Ik ren naar mijn moeders kledingkast en zoek in de keurig opgevouwen stapeltjes naar iets geschikts. Ik word steeds wanhopiger. Waarom heeft zíj maat 36 en ík maat 40? Het is niet eerlijk. Uiteindelijk vind ik op de onderste plank een wijd spijkerrokje en een crèmekleurig wikkelvestje. Ik trek de kledingstukken aan. Wonder boven wonder gaat het rokje over mijn heupen en het vestje knoop ik los om mijn middel. In de badkamer doe ik een lichtroze lipgloss op. Ik borstel mijn haar en laat het los hangen. Ik ga voor de spiegel staan. Het is onvoorstelbaar, maar ik zie er bijna mooi uit.

Ik pak mijn jas en glip door de achterdeur naar buiten. Het steegje naast de tuin is aardedonker en ik loop snel naar de straat die achter ons huis loopt. Het is een om-

weg, maar ik ben bang dat iemand misschien de voordeur in de gaten houdt. Ik blijf in de schaduw van de huizen en kijk nerveus om me heen. Niemand volgt me. Toch ben ik opgelucht als ik bij de drukke tramhalte aankom. Na een minuut of vijf verschijnt de tram. Ik zoek een plekje in de buurt van de bestuurder uit en bekijk zo onopvallend mogelijk mijn medepassagiers. Twee vrouwen praten met elkaar, een jongen voert een luidruchtig gesprek door zijn mobiele telefoon en een groepje meisjes moet ergens om lachen. Maar ik zie niks verdachts.
Bij de halte Jan Pieter Heijestraat stap ik uit en ik sla de Brederodestraat in. Ik zie De Toog al liggen. Bij elke stap die ik zet word ik zenuwachtiger. Eigenlijk heb ik geen flauw idee wat ik kan verwachten van dit afspraakje. Waar moet ik het met Steven over hebben? We kennen elkaar nauwelijks. Straks vallen er van die ongemakkelijke stiltes. En misschien maak ik me wel belachelijk door iets geks te zeggen. Bij de ingang van De Toog blijf ik staan. Moet ik terug naar huis gaan en Steven met een smoesje afbellen? Of moet ik me niet aanstellen en gewoon naar binnen gaan? Ik kies voor het laatste. Ik veeg mijn klamme handen af aan mijn spijkerrokje, haal diep adem en duw de deur open.
Ik vind Steven op een kruk aan de bar. Hij is in gesprek met de barman. Ik kijk een moment lang naar zijn rug en hoop dat hij mijn kant uitkijkt. Maar dat doet hij niet. Ik voel me opgelaten. O, ik kan mezelf wel een klap voor mijn kop geven. Hoe stuntelig kan je zijn?
'Hai,' zeg ik zacht en ik tik op zijn schouder.
Steven draait zich om. 'Hé, Eva, daar ben je. Ik zat al op je te wachten.' Hij buigt voorover en geeft me een zoen

op mijn wang die net iets langer duurt dan een standaard begroeting. 'Je ziet er geweldig uit.'
Ik krijg een slap gevoel in mijn knieën. 'Eh... dank je wel.'
Hij glimlacht. Misschien glimlach ik terug, maar ik ben bang dat er een idiote grijns op mijn gezicht ligt.
'Vind je het leuk om naar Caffe Oslo te gaan? Dat is hier vlakbij,' zegt Steven.
'Prima,' mompel ik. Al had Steven een vuilnisbelt voorgesteld, dan had ik het nog leuk gevonden.
'Oké, dan gaan we.'
Hij pakt zijn jas en gaat me voor naar buiten. Ik hoop dat iedereen ziet dat Steven en ik bij elkaar horen.

Caffe Oslo is druk en rumoerig. We zoeken een rustig tafeltje achterin uit. Ik bestel een cola light en Steven een biertje. We praten wat over zijn studie. En over zijn verhuizing. Hij woont pas een paar maanden in Amsterdam, en hij vindt de stad helemaal geweldig. Het gesprek gaat eigenlijk vanzelf. Steven is zo aardig. En hij kan zo leuk vertellen. Ik voel me steeds meer op mijn gemak, en na een half uur zijn al mijn zenuwen verdwenen. We bestellen nog twee drankjes.
'Woon jij je hele leven al in Amsterdam?' vraagt Steven terwijl hij een slok van zijn bier neemt.
'Ja. Mijn moeder vindt Amsterdam de enige echte stad van Nederland. Waarschijnlijk woont ze hier nog als ze tachtig is.'
Steven lacht. 'En je vader? Is hij ook zo verknocht aan Amsterdam?'
De vraag overvalt me. Ik schuifel ongemakkelijk over mijn stoel. De laatste keer dat ik over mijn vader heb ge-

praat is jaren geleden. En toen ben ik in tranen uitgebarsten. Ik slik voor ik antwoord: 'Nee, volgens mij niet. Tenminste, niet dat ik weet.'
'Hè?' zegt Steven verbaasd. 'Dat snap ik niet. Leg 'ns uit.'
Ik kan bijna voelen hoe de moed me in de schoenen zinkt. 'Ik, eh... heb geen contact meer met mijn vader.'
'Hoezo?'
'Hij is...' Ik kan de juiste woorden niet vinden om het te zeggen.
'Wat?'
'Hij is... Toen ik drie was is hij ervandoor gegaan met een andere vrouw. Ik heb hem daarna nooit meer gezien.' Ik wend mijn hoofd af. Shit, ik wil niet weer gaan huilen. Niet hier, waar Steven bij is.
'Dat spijt me,' hoor ik Steven zeggen. Zijn stem is vriendelijk. 'Ik snap hoe je je voelt.'
'Echt waar?' Ik kijk hem verbaasd aan.
'Ja, echt waar.' Hij zwijgt even en zegt dan: 'Ik ben ook zonder vader opgegroeid. Hij is overleden.'
Ik schrik van zijn antwoord. Overleden? Dat is nog veel erger dan je vader nooit meer zien. 'Wat afschuwelijk,' zeg ik zacht. 'Hoe oud was je toen hij overleed?'
'Ik was zes. Maar ik kan me nog zo goed de dag herinneren dat het gebeurde. Ik kwam uit school en het was mooi weer. Ik zag wel dat er een politiewagen voor ons huis stond, maar wist ik veel dat dat geen goed teken was. Dat begreep ik pas toen ik mijn moeder huilend aan de keukentafel vond met een agent die haar hand vasthield. Mijn wereld stortte in.'
Steven glimlacht, maar ik zie aan de blik in zijn ogen dat hij het niet makkelijk vindt om hierover te praten.

Dan haalt hij zijn schouders op. 'Ach, het is al zo lang geleden. Genoeg over dit onderwerp. Hoe gaat het met je cupidopogingen? Zijn ze al een stel?'
Een paar seconden lang begrijp ik niet waar Steven het over heeft. Maar dan valt het kwartje. Hij heeft het over Joost en Karlijn. Ik heb er helemaal niet meer aan gedacht dat ik vanmiddag tegen hem heb gelogen. Opeens voel ik me vreselijk schuldig. Hij is zo eerlijk en open tegen mij geweest.
'Ik moet je wat vertellen.' Ellendig kijk ik hem aan. 'Weet je, mijn vriendin is eigenlijk niet verliefd op Joost. Tenminste dat was ze wel. Maar nu niet meer. Want, eh... ze is dood. Al een paar weken.'
Steven is blijkbaar zo verbaasd dat hij even niks weet te antwoorden.
'O,' zegt hij uiteindelijk.
'Het spijt me... Ik wilde niet tegen je liegen... ik bedoel... ik...' Mijn wangen zijn vuurrood en ik vermijd zijn ogen.
'Hè, rustig maar,' zegt Steven en hij pakt mijn hand. 'Ik ben niet boos op je.'
Het duurt een paar seconden voordat dit tot me is doorgedrongen. 'Echt niet?'
'Nee, joh. Je zal er vast een goede reden voor hebben gehad. Waarom vertel je me nu niet wat er met je vriendin is gebeurd? En waarom je Joost zocht?'
'Als je dat wilt...'
'Dat wil ik heel graag.'
'Oké. Maar het is een lang verhaal.'
'We hebben alle tijd.' Hij knikt me bemoedigend toe.
Ik slik en begin bij de dag dat Karlijn mijn buurmeisje werd. Eerst praat ik nog langzaam. Maar hoe meer ik vertel, hoe sneller mijn zinnen elkaar opvolgen. Karlijns

dromen, haar ontmoeting met Joost, het briefje op mijn nachtkastje; ik merk dat ik het fijn vind om alles aan Steven te vertellen. Eindelijk iemand die me serieus neemt. Ik eindig met de gebeurtenissen van deze middag: mijn gesprek met Nicole en de fietsachtervolging.
Als ik ben uitgepraat, valt er een lange stilte.
'Jezus.' Steven laat zijn adem ontsnappen en zijn blauwe ogen kijken me ernstig aan. 'Hoe is het mogelijk...'
Ik knik slechts.
'Verdomme, je loopt gevaar. En niemand doet iets.' Hij slaat met zijn vlakke hand op tafel. 'Ik ben blij dat je me alles hebt verteld. Vanaf nu sta je er niet meer alleen voor.'
Mijn ogen worden vochtig en ik mompel een bedankje.
'Ik kan gewoon niet geloven dat je naar die Nicole bent gegaan. Dat vind ik heel moedig,' zegt Steven. 'Ik weet niet of ik het zelf had gedurfd.'
'Nou, moedig... Ik was vanmiddag zo bang toen die gek me achtervolgde. Misschien was het eerder dom van me.'
Steven glimlacht flauw. En ik ook.
'Die Karlijn, hè?' vraagt hij peinzend. 'Dat is toch niet toevallig Karlijn Simonsen die in De Toog heeft gewerkt? Ik bedoel, zij heeft een tijdje geleden ook een autoongeluk gehad.'
'Ja, het is dezelfde Karlijn. Jeetje, je kent haar natuurlijk.' Ik buig naar voren. 'Nu je het zo zegt, volgens mij heb ik wel eens een stukje over je gelezen in haar dagboek. Stom dat ik daar niet eerder aan heb gedacht.'
Steven moet het nieuws even verwerken. Hij schudt zijn hoofd. 'Verdomme, zeg. We hebben een paar keer samen gewerkt. Ik vond haar een leuke meid, heel spon-

taan. Maar toen kreeg ze een hersenschudding. Tenminste, dat werd ons verteld. En een paar weken later was ze opeens dood. Had ik maar geweten wat er echt aan de hand was...'

'Je had niks kunnen doen,' zeg ik zacht.

'Nee, waarschijnlijk niet. Maar de volgende keer dat ik Joost tegenkom, sla ik 'm voor zijn kop, dat zweer ik. Wat een gore klootzak. En als hij jou ook maar iets durft aan te doen...' Stevens stem klinkt steeds bozer en zijn handen liggen als twee vuisten op tafel.

Ik voel me gevleid door zijn reactie en probeer me een beeld te vormen van Steven die Joost een pak rammel geeft. Ik glimlach vluchtig. 'Dat is heel lief, maar ik weet niet zeker of Joost het heeft gedaan. Misschien denkt de politie daar morgen heel anders over.'

Het blijft even stil, tot Steven me vragend aankijkt. 'Hè? De politie?'

'Ja, ik ga morgen met mijn moeder naar de politie, als ze terugkomt uit Milaan. Of vind je dat geen goed idee?'

'Nee, nee,' zegt Steven snel. 'Ik bedoel, ja, je moet zeker naar de politie gaan. Maar ik dacht dat je daar al was geweest.'

'Dat is ook zo,' zeg ik met een diepe zucht. 'Alleen wilden ze toen niet naar me luisteren. Hopelijk geloven ze me dit keer wel.'

De ober komt vragen of we nog iets willen drinken. Steven bedankt en kijkt op zijn horloge. 'Laten we maar gaan. Ik moet morgenochtend vroeg naar college.'

We lopen zwijgend naar de tramhalte op het hoekje van de Overtoom. In de verte komt de tram aangereden. Opeens weet ik me geen houding te geven.

'Bedankt voor alles,' zeg ik. Ik kan mijn tong wel afbijten, zo formeel klinkt het.
Steven trekt een gezicht. 'Doe niet zo gek.' Hij aarzelt een moment en zegt dan: 'Weet je, ik vind het eigenlijk geen prettig idee dat je vanavond helemaal alleen thuis bent. Je mag bij mij blijven slapen, als je dat wilt?'
Ik kijk hem blijkbaar verbaasd aan, want hij voegt er grijnzend aan toe: 'Ik zei slápen. Maak je geen zorgen.'
Met spijt in mijn stem zeg ik: 'Eh... bedankt, maar mijn moeder krijgt morgenochtend een hartaanval als ik er niet ben. Ik kan beter naar huis gaan.'
'Weet je dat zeker?'
'Ja.'
'Oké. Maar wees alsjeblieft voorzichtig. Je kan me altijd bellen als er iets is.'
Steven geeft me zijn mobiele nummer. En dan stopt de tram rinkelend voor onze neus.
'Ik moet gaan,' zeg ik.
'Wacht even.'
Ik houd mijn adem in. Steven slaat zijn armen om me heen en buigt zijn hoofd naar me toe. En dan zoent hij me. Mijn lippen tintelen en ik leun duizelig tegen hem aan.
'Succes morgen bij de politie,' fluistert Steven in mijn oor. 'Laat je me weten hoe het is gegaan?'
Ik kan alleen nog maar knikken.
Hij geeft me nog een laatste zoen en ik zweef de tram in. Steven heeft me gezoend, Steven gaat me helpen, Steven vindt me leuk. Ik blijf uit het raam kijken totdat ik hem niet meer kan zien.

# Maandag 30 oktober 01.30 uur

Een schel gerinkel wekt me uit mijn slaap. Verdwaasd ga ik rechtop zitten. Het is half twee, zie ik op mijn wekker. Ik had over Steven gedroomd. Hij zoende me, en ik had nog wel uren over hem willen dromen. Maar toen begon er een telefoon te rinkelen. Ik luister ingespannen. Het is doodstil in mijn kamer en ik hoor alleen het zachte ruisen van de bomen buiten. Was de telefoon misschien een onderdeel van mijn droom? Maar dan hoor ik het gerinkel plotseling weer. Het geluid klinkt onheilspellend en als een voorbode van slecht nieuws. Wie belt er in godsnaam midden in de nacht naar onze huistelefoon? Er is toch niks ergs met mijn moeder gebeurd? Ik weet niet hoe snel ik naar mijn moeders slaapkamer moet rennen waar de dichtstbijzijnde vaste telefoon staat. Zonder het licht aan te doen neem ik op.
'Hallo?'
Stilte. Ik hoor iemand zwaar ademen, bijna hijgen.
'Hallo?' zeg ik nog een keer. 'Is daar iemand?'
'Dag Eva,' zegt plotseling een eigenaardige, vervormde mannenstem. 'Je bent vandaag erg ongehoorzaam geweest.'
Mijn oren beginnen te suizen en het duurt vreemd lang

voor ik kan reageren. 'Met wie spreek ik?' vraag ik paniekerig.
'Eva toch, dat weet je best. Ik heb vanmiddag nog naar je gezwaaid op de fiets. Maar je had zo'n haast. Die val moet pijn hebben gedaan. Dat was echt nergens voor nodig.' De man lacht hees.
Ik ben opeens zo bang dat ik amper kan ademhalen. 'Laat me met rust,' roep ik schor.
'Dat zou ik wel willen, maar je houdt je niet aan onze afspraak.'
'H-h-hoezo?' vraag ik.
'Doe niet zo dom.' De stem klinkt nu boos. 'Je moest vandaag weer zo nodig op onderzoek uit. En ik had je nog zo gewaarschuwd. Heb je gezellig thee gedronken met Nicole? Ik heb jullie wel gezien, daar buiten op de parkeerplaats. Maar je lette niet goed op. Het zou afschuwelijk zijn als je een ongeluk kreeg. Karlijn lette ook niet goed op.'
Ik voel al het bloed uit mijn gezicht wegtrekken. 'J-J-Joost? Ben jij het? Waarom doe je dit?'
Geen antwoord.
'Klootzak,' zeg ik met een stem die veel hoger klinkt dan anders. 'Je bent ziek. Ziek in je hoofd.'
'Jij weet helemaal niks van mij,' sist de man. 'Je moet niet zoveel praten en beter luisteren. Dit is de laatste keer dat ik je waarschuw. Bemoei je niet met zaken die je niet aangaan. En als je de politie belt, dan lig je straks gezellig naast je vriendinnetje op het kerkhof. Begrepen? Ja of nee?'
'Ja,' fluister ik.
'Mooi zo.'
Ik hoor een klik. De man heeft opgehangen. Het zweet

breekt me aan alle kanten uit en ik ben niet in staat om helder na te denken. In paniek laat ik mijn blik rondgaan door mijn moeders kamer. Alles wat vertrouwd is, ziet er plotseling verdacht uit. De kastdeur die op een kier staat, de bult in het dekbed, het donkere raam zonder gordijnen. Ik moet hier weg. Ik ren de slaapkamer uit, de gang over, de trap af naar de woonkamer, en knip alle lichten aan.

Bevend ga ik op de bank zitten. Hij heeft me gebeld! Ik heb hem kwaad gemaakt! Ergens diep in mijn keel komt een vreemd gejammer omhoog. Twee tranen lopen over mijn wangen. Niet huilen, denk ik. Ik mag niet huilen. Ik moet nadenken. Zou het Joost zijn geweest? De stem was onherkenbaar. En de man reageerde niet toen ik hem Joost noemde. Maar dat zegt natuurlijk niks. God, wat gebeurt er toch allemaal?

Uit het niets komt een herinnering boven. Karlijn en ik waren een jaar of negen. Het was zomervakantie en we wilden per se in een tent in onze achtertuin slapen. Na lang zeuren mocht het van mijn moeder. Het werd donker, het werd nacht. En het begon te onweren. Ik lag verstijfd naar het tentdoek te kijken. Bij elke lichtflits zag ik vreemde schaduwen en vormen. Karlijn kroop in mijn slaapzak en sloeg haar armen om me heen. 'Niet bang zijn,' zei ze. 'Ik ben toch bij je?' Ze maakte grapjes, zong liedjes en vertelde lange verhalen over van alles en nog wat. Ik heb me nog nooit zo veilig gevoeld als tijdens die uren dat ik naast haar lag.

Maar nu is er geen Karlijn meer die me kan troosten. Nu heb ik alleen maar mezelf. Ik kruip onder een deken die op de bank ligt en voel me zo vreselijk bang en eenzaam. Wat moet ik doen? Ik durf de politie niet te bellen. Stel

je voor dat die man zijn dreigement uitvoert. Plotseling denk ik aan Steven. Ik mocht hem altijd bellen, zei hij. Maar ook om twee uur 's nachts, vraag ik me nerveus af. Ergens boven piept opeens een deur. Mijn hart springt bijna uit mijn borstkas. Ik twijfel niet langer en gris mijn mobieltje uit mijn tas die naast de bank ligt. Met trillende handen zoek ik Stevens nummer, terwijl ik ondertussen ingespannen luister naar de geluiden in het huis.
Ik schrik van Stevens stem.
'Ben er niet,' zegt hij op zijn voicemail. 'Na de piep heb je alle tijd om daarover te klagen. Mazzel.'
Waarom neem je niet op? kan ik wel door de telefoon gillen. Maar ik spreek zo rustig mogelijk in: 'Steven, met Eva. Wil je me alsjeblieft metéén terugbellen als je dit berichtje hoort?' Ik haal diep adem. 'Die man heeft me net gebeld. Hij wil me vermoorden. Help me, o, alsjeblieft, help me, ik ben zo bang...'
Ik hang op en druk mijn pyjamajasje tegen mijn gezicht. Al snel is de stof nat van mijn tranen. Ik kruip nog dieper weg in de deken op de bank. Het huis is doodstil. De stilte benauwt me. Alles benauwt me. Het idee om hier de hele nacht alleen te zitten is afschuwelijk. Ik wieg mezelf heen en weer en murmel hardop een liedje uit mijn kindertijd. 'Ook al is het nog zo donker. Ook al ben je nog zo bang. Morgen schijnt altijd weer de zon. De nacht duurt nooit zo heel erg lang.' Ik blijf het versje telkens herhalen, alsof ik daardoor de tijd sneller kan laten verlopen.

Om iets na achten hoor ik een sleutel in het slot en de voordeur opengaan. Ik verstar even, maar dan hoor ik de hakken van mijn moeder door de gang klikken.

'Eva? Wat doe jij hier?' zegt ze terwijl ze de huiskamer inloopt. Ze zeult een grote koffer achter zich aan. 'Waarom zit je nog in je pyjama?'
Ik geef geen antwoord en begin te huilen.
'Lieverd, toch.' Mijn moeder komt naar me toe en knielt neer op de grond. 'Ben je soms ziek? Je ziet zo wit als een doek.'
Ik schud mijn hoofd. De tranen rollen langs mijn wangen en druppen in mijn mond.
'Wat is er dan?' glimlacht ze. 'Kom, zo erg kan het niet zijn. Vertel het me maar, meisje.'
Mijn mond trilt. En mijn stem ook als ik zachtjes zeg: 'Ik ben vannacht bedreigd.'
'O.' Haar mond zakt open en ze kijkt me aan alsof ik van een andere planeet kom. 'Bedreigd?'
'J-ja,' snik ik. 'Door een man.'
'Een man?' Mijn moeder kijkt steeds bezorgder. 'Hij heeft je toch niet aangeraakt? Of iets anders ergs gedaan?'
'Nee, hij heeft me opgebeld.'
'O, oké.' De opluchting is duidelijk zichtbaar op haar gezicht. 'Wat zei hij dan?'
'Dat ik me niet met Karlijns dood mag bemoeien. Anders vermoordt hij me.' Ik durf mijn moeder niet meer aan te kijken.
'Vermoorden? Jezus!' hoor ik haar vloeken. Mijn moeder vloekt bijna nooit. 'En wat heeft Karlijn hier in godsnaam mee te maken?'
Ik staar naar de grond en denk na over de beste manier om het haar te vertellen. Die is er niet. Het kan me eigenlijk ook allemaal niks meer schelen. Ik wil alleen maar dat deze ellende ophoudt.

'Eva, in hemelsnaam, praat tegen me!' Ze pakt mijn kin beet en dwingt me om haar aan te kijken.
Ik slik moeilijk en veeg mijn tranen weg met mijn mouw. 'Het begon allemaal twee weken geleden toen ik Karlijns dagboeken van haar moeder kreeg. Of nee, eigenlijk begon het al in augustus, toen Karlijn bij me langskwam...'
Mijn moeder knikt. 'Ga door.'
Een moment sluit ik mijn ogen om alle gebeurtenissen van de afgelopen tijd in een logische volgorde te zetten. Ik wil niks vergeten. Na ruim een half uur heb ik alles verteld wat er te vertellen valt. Mijn moeder staart me zwijgend aan. Even voel ik me helemaal leeg en verloren.
'Mijn hemel,' zegt ze uiteindelijk. 'Waarom heb je me dit niet eerder verteld?'
'Ik was bang dat je boos zou worden,' fluister ik.
Ze fronst en vloekt weer. 'Jezus, dacht je dat echt? Hoe kom je daarbij?'
Ik bijt op mijn lip en haal mijn schouders op.
'O, Eva, Eva,' zegt ze hoofdschuddend. 'Gekkerd. Wat moet ik toch met jou?'
Mijn moeders ogen staan vol tranen. Ze gaat naast me zitten en neemt me in haar armen. Ik laat mijn hoofd tegen haar schouder vallen. Ze streelt zachtjes mijn wangen. Ik kan mijn moeders parfum ruiken en de crème die ze altijd gebruikt. Ik voel me zo dichtbij haar. Zo dichtbij ben ik niet meer geweest sinds ik klein was. We zeggen een poosje niets.
'Ik hou zo ontzettend veel van je,' mompelt mijn moeder.
'Ik ook van jou, mam.' Ik haal diep adem omdat ik niet weer wil huilen.

Ze maakt zich los uit onze omhelzing. 'We moeten zo maar naar de politie gaan, vind je ook niet?'
'Ja,' zeg ik, en ik meen het.
Ergens vannacht begreep ik opeens dat ik niet mocht toegeven aan zijn dreigementen en mijn eigen angst. Anders zou ik nooit meer alleen over straat durven lopen. En me altijd afvragen waar hij was. Ik mocht mijn leven niet door hem laten verpesten. Ik was bang, ja, doodsbang zelfs, maar niet verslagen.
'Goed,' zegt mijn moeder. 'We vertrekken over een half uurtje. Dan kan jij eerst nog even douchen. En wat ontbijten. Ik wil niet dat je straks flauwvalt.'
Ze staat op en trekt de gordijnen open. Op de een of andere manier had ik verwacht dat het buiten net zo donker zou zijn als binnen in mij. Maar tot mijn verbazing zie ik dat de zon schijnt.

# Maandag 30 oktober 10.30 uur

Het politiebureau aan de Koninginneweg is veel drukker dan afgelopen zaterdag. Alle stoelen zijn bezet en aan de balie doet een man met luide stem aangifte van zijn gestolen portemonnee. Een politieagente noteert langzaam en nauwkeurig al zijn gegevens. Opgelucht zie ik dat de onaardige vrouw van zaterdag geen dienst heeft. De man mompelt nog iets van 'schorem', en dan zijn wij opeens aan de beurt.

'Waarmee kan ik jullie helpen?' vraagt de vrouw terwijl ze wat papieren ordent.

'Mijn dochter is vannacht met de dood bedreigd,' zegt mijn moeder plompverloren.

'O.' De politieagente kijkt ons geschrokken aan en vergeet de papierstapel.

'Ja. Ze is hier al eerder geweest, maar toen wilden jullie niet luisteren. Ik vind dit zeer kwalijk.'

'Eh... dat spijt me,' mompelt de vrouw ongemakkelijk. 'Ik maak meteen een afspraak voor vanmiddag. Het is momenteel namelijk erg druk.'

'We willen nú iemand spreken, niet vanmiddag,' zegt mijn moeder scherp. 'Anders dien ik een klacht in wegens grove nalatigheid. Mijn dochter had wel dood kunnen zijn door jullie schuld.'

Alle mensen staren onze kant uit en de agente weet zich duidelijk geen raad met de situatie. 'Tja, goed, ik kijk wel even wat ik voor u kan doen. Met wie heeft uw dochter de vorige keer gesproken?'
'Met meneer Brand,' antwoord ik.
De agente kijkt me aan alsof ze me nu pas voor het eerst ziet. 'Juist, ja, met rechercheur Brand. Hebben jullie een momentje?' Ze staat op en verdwijnt door een deur naast de balie.
Binnen een minuut is ze terug met Brand aan haar zijde. Ik zie hem denken: heb je háár weer. Maar hij zegt vriendelijk: 'Eva Nieboer, was het toch? En dit is je moeder, neem ik aan?'
Mijn moeder knikt kort en schudt zijn uitgestoken hand.
'Komen jullie maar mee,' zegt Brand. 'Ik had toevallig even pauze.'
Hij brengt ons naar hetzelfde kamertje als de vorige keer en komt meteen ter zake. 'Wat is er allemaal aan de hand? Ik hoorde van mijn collega dat het nogal dringend was.'
'Dat kunt u wel zeggen,' antwoordt mijn moeder. Ze kijkt mij aan. 'Eva, vertel hem maar wat je mij ook hebt verteld. Toe maar.'
'Eh... oké.'
Dus vertel ik hem nog eens over Karlijn, haar dromen, mijn gesprek met Joost en het briefje naast mijn bed. Brand luistert met een uitdrukkingsloos gezicht naar mijn verhaal, en ik heb geen idee of hij me nu wel serieus neemt. Pas als ik vertel over mijn fietsachtervolging en het telefoontje van vannacht, zie ik hem fronsen.
'Dit verandert de zaak,' zegt hij peinzend. 'Het uiten van bedreigingen aan de telefoon is strafbaar.'
Ik weet even niks te zeggen, zo blij ben ik met zijn opmerking.

Brand wrijft nadenkend met zijn vinger over zijn kin. 'Heb je zijn stem vannacht herkend? Of heb je misschien gezien wie je heeft achtervolgd?'
'Nee.' Ik schud spijtig mijn hoofd. 'Maar het zou me niks verbazen als het Joost was. Ik ben tenslotte naar zijn ex-vriendin gegaan. Hij moet hebben geweten wat ze me ging vertellen. En dat zal hij vast niet leuk hebben gevonden.'
Brand zucht en leunt naar achteren. 'Ik begrijp dat je zo denkt. Maar Joosts agressieve verleden is niet voldoende om hem nu aan te houden. Daarvoor heb ik echt bewijs nodig. Ik kan hem onmogelijk arresteren op basis van een vermoeden. Het spijt me.'
Het blijft even stil. Dan vraagt Brand: 'Heb je enig idee wie je nog meer gebeld kan hebben? Loopt er misschien ergens een boos ex-vriendje van je rond? Vaak zien we dat dit soort bedreigingen voortkomt uit de relationele sfeer.'
'I-ik heb nog nooit een vriendje gehad.' Ik bloos en kan wel door de grond zakken van schaamte.
'Hmm.' Brand lijkt niet overtuigd.
Mijn moeder gaat rechtop zitten. 'Genoeg hierover. Wat gaat u nu concreet doen?'
'Tja, onze mogelijkheden zijn beperkt, vrees ik. We gaan in ieder geval eens met Joost praten en zijn gangen natrekken. Hopelijk komt daar wat uit.'
'Is dat alles?' vraagt mijn moeder kortaf. 'Mijn dochter wordt bedreigd. Haar vriendin is misschien met opzet aangereden. En jullie gaan eens met die Joost práten? Het moet verdorie niet gekker worden. Ik kan beter te hard rijden. Dan krijg ik meer aandacht.'
Brand slaat zijn handen in elkaar en buigt naar voren.

'Mevrouw Nieboer, ik snap uw ongerustheid heel goed. Dit zijn akelige dingen. Maar tot nu toe is er geen overtuigend bewijs dat Karlijn met opzet is aangereden. Misschien heeft de beller het ongeluk alleen genoemd om uw dochter bang te maken, terwijl hij er zelf niets mee te maken heeft. Het ongeluk heeft tenslotte in alle kranten gestaan. Iedereen weet ervan. We moeten niet op de zaken vooruitlopen. Het is onze taak om de dingen eerst goed uit te zoeken.'
'Schiet u daar dan alstublieft mee op,' snauwt mijn moeder. 'Mijn dochter loopt gevaar.'
'Misschien,' antwoordt hij met een geruststellende glimlach. 'Maar meestal houden dit soort bedreigingen vanzelf weer op. Na een tijdje is de lol er voor de beller zeg maar af. Begrijp me niet verkeerd, ik neem deze zaak uiterst serieus, maar er is nog geen reden tot paniek.'
Ik zie aan mijn moeders samengeknepen mond dat ze het niet met Brand eens is. 'Dat zal dan wel,' mompelt ze stijfjes. Ze slaakt een diepe zucht. 'Eva heeft nog iets voor u.'
'O.' Brand staart me met opgetrokken wenkbrauwen aan, alsof hij verwacht een bos bloemen te krijgen.
Met tegenzin haal ik Karlijns dagboek uit mijn tas en leg het voor zijn neus. Ik had het schriftje liever zelf gehouden, maar mijn moeder had erop gestaan het mee te nemen naar het politiebureau.
'Wat is dit?' Brand bladert stomverbaasd in het schriftje en kijkt me vragend aan.
'Karlijns dagboek. Daar staat alles in wat ik u heb verteld.'
'Ja, natuurlijk,' antwoordt hij snel. 'Fijn, dank je wel. Ik

zal het zorgvuldig bestuderen en in het onderzoek meenemen.'
Brand staat op. Het gesprek is voor hem duidelijk ten einde. Hij geeft ons een hand en loopt naar de deur. 'Mocht er weer wat gebeuren, dan belt u ons meteen. En Eva, doe een tijdje voorzichtig aan. Niet alleen 's avonds over straat en geen gekke dingen uithalen, oké?'

We staan nog maar amper buiten in het zonnetje als mijn moeder zegt: 'Bah, wat een akelige, zelfingenomen vent is die Brand. Ik kreeg echt de kriebels van hem. Nou ja, hij zal wel goed zijn in zijn werk.'
Ze geeft me een arm. 'Wat zullen we gaan doen? Ergens in de stad lunchen? Winkelen? Zeg het maar.'
'Moet ik dan niet naar school?' vraag ik.
'Niet vandaag, lieverd. Ik heb de school vanochtend al gebeld dat je ziek bent, en dat je morgen pas komt. En ik heb een dagje vrij van mijn werk genomen. Goed?'
Ik knik opgelucht. Ik vind het een prettig idee dat mijn moeder vandaag bij me blijft. 'Weet je, mam. Misschien ga ik liever naar huis. Ik ben niet echt in de stemming om iets leuks te doen.'
Ze drukt me even tegen zich aan. 'Dan gaan we lekker naar huis, geen probleem. We kunnen een dvd kijken. Of een boekje lezen. Wat jij wilt.'
We lopen naar de auto.
'Luister eens, Eva,' zegt mijn moeder en ze kijkt opeens heel serieus. 'Ik denk dat Brand in één ding gelijk heeft: je moet niet meer alleen zijn totdat dit allemaal is afgelopen. Ik heb vanochtend met mijn baas al geregeld dat ik je elke middag ophaal van school en daarna thuis

werk. Het is een goed excuus voor mij om wat minder hard te werken.' Mijn moeder glimlacht, maar ik denk dat ze alleen maar vrolijk voor mij probeert te zijn.

# Dinsdag 31 oktober

'Ik haal je vanmiddag weer op,' zegt mijn moeder als ze me de volgende ochtend voor school afzet met de auto. Ze aarzelt een paar seconden en tikt met haar vingers op het stuur. 'Eva, doe je alsjeblieft voorzichtig? En beloof je me dat je meteen belt als er iets is? Ik ben binnen tien minuten bij je.'
Ik knik en geef mijn moeder een zoen. Ze plukt nerveus aan haar gordel. Heel even denk ik dat mijn moeder me naar de ingang wil brengen, maar dat doet ze niet. Ze blijft in de auto wachten totdat ik binnen ben. In gedachten zie ik haar zitten, naar mij kijkend en zich zorgen makend. Ik moet mijn best doen om niet naar haar toe te rennen.
Het is rustig in de hal. De lessen beginnen pas over een kwartier. Ik treuzel en kijk om me heen. Alles lijkt opeens zo vreemd. Ik voel me net een brugklasser die voor het eerst naar school gaat: onzeker, bang en verloren. Terwijl ik door de gangen loop, bedenk ik me hoe fijn het was om Steven gistermiddag te spreken. We hebben zeker een uur gebeld. Hij was zich helemaal rot geschrokken van mijn berichtje. En hij vond het vreselijk dat zijn telefoon had uitgestaan. Ik denk dat Steven wel vijf keer zijn excuses heeft aangeboden. Daarna

wilde hij weten hoe het gesprek bij de politie was gegaan. 'Vaag,' noemde hij de reactie van Brand, 'maar gelukkig gaat hij wel met Joost praten.' Ik was het met hem eens. Toen Steven zei dat hij me donderdag wilde zien, was ik zo vreselijk blij. Eerder kon jammer genoeg niet, want hij moest morgen en overmorgen werken in De Toog.

Ik zucht en duw de deur van het lokaal open. Hoe kom ik ooit deze schooldag door? Ik ga op mijn vaste plek zitten en wacht. Een paar minuten voor het begin van de les komen Hanna en Marjolein binnen. Ik heb ze vrijdag nog gezien, maar het lijkt veel langer geleden. Ik glimlach, maar ze staren me vreemd aan. Of verbeeld ik me het maar? Hanna en Marjolein gaan op de lege stoelen voor me zitten. Ze doen alsof ze volledig in beslag worden genomen door het uitpakken van hun tas.

Ik schraap mijn keel. 'Hé,' zeg ik wat ongemakkelijk. 'Alles goed?'

Marjolein draait zich om en knijpt haar ogen halfdicht. 'Alles gaat uitstekend. En met jou?'

'Eh... wat minder. Daarom was ik gisteren ook niet op school.'

'O, was je gisteren niet op school?' zegt Marjolein op een overdreven verbaasde toon. 'Goh, daar hebben we niks van gemerkt. Het was heel gezellig zonder jou.'

Ik kijk haar aan. Zij kijkt mij aan. Ik heb geen idee waarom ze zo onaardig reageert. Na een korte stilte vraag ik: 'Is er wat? Je doet zo vreemd.'

'Ik? Vreemd? Jíj kan beter je verontschuldigingen aanbieden,' snauwt Marjolein.

Nu draait Hanna zich ook om. Haar wangen zijn rood.

'Toe, Marjolein, laat zitten. Zo maak je het nog veel erger. Het doet er niet toe.'
'Het doet er wél toe,' zegt Marjolein hard. 'Vertel Eva maar wat er is gebeurd.'
Hanna kauwt op haar lip en haar ogen schieten nerveus achter haar brillenglazen heen en weer. 'Ik, eh... ik was gisteren jarig.'
Ik voel al het bloed uit mijn gezicht wegtrekken.
'Ik begrijp het niet,' mompelt ze. 'Je bent in al die jaren nog nooit mijn verjaardag vergeten. Ik dacht dat we vriendinnen waren.'
'Het spijt me,' zeg ik schor. En dan zwijg ik. Als ik nog iets zou zeggen, zou mijn stem breken. Ik voel me ronduit afschuwelijk.
'Het is een beetje laat om spijt te hebben,' zegt Marjolein. 'Vriendinnen vergeten je verjaardag niet. Ik durf erom te wedden dat je weer met Karlijn bezig was.'
'Eh... ja, maar niet zoals je denkt... Er is... eh... dit weekend is er iets heel ergs gebeurd... Anders had ik echt wel aan Hanna's verjaardag gedacht,' hoor ik mezelf stamelen. Het klinkt zelfs in mijn oren slap.
Marjolein rolt met haar ogen. 'Ja, ja, dat zal wel. Nou, val iemand anders maar lastig met dat verhaal. Wij willen je een tijdje niet meer spreken.'
Er valt een pijnlijke stilte. Marjolein kijkt me fel, bijna vijandig, aan. Ik weet niet wat Hanna denkt, want ze staart naar de grond. Wat kan ik nog zeggen? Wat kan ik nog doen?
Maar het is al te laat, want Marjolein en Hanna draaien zich om. Ze smoezen heel vertrouwelijk, alsof ik er niet meer ben. Ik sta op het punt in tranen uit te barsten. Ik hoor Marjolein nog zeggen: 'Wie denkt ze wel dat ze is.

De koningin of zo?' De woorden doen pijn, maar dan houden ze gelukkig hun mond, want onze leraar komt binnen.

Na het laatste lesuur sjok ik naar mijn moeders auto.
'Hoe was je dag?' vraagt ze en ze drukt een kus op mijn wang.
'Gaat wel. Ik ben bekaf,' antwoord ik voorzichtig.
'Geen vreemde dingen gebeurd?'
'Nee.' Maar ik denk: als je tenminste het einde van mijn vriendschap met Hanna en Marjolein niet meetelt.
Gelukkig vraagt mijn moeder niet verder. Ze geeft gas en rijdt weg.
'Ik ben net op het politiebureau geweest.'
'Hè, waarom?' vraag ik verbaasd.
'Brand belde. Hij had met Joost gepraat en vroeg of ik even langs wilde komen.'
Ik houd mijn adem in. 'En? Wat zei hij?'
'Niet veel.' Mijn moeder zucht. 'Het kwam erop neer dat Joost jou onmogelijk gebeld kan hebben. Hij sliep zondagnacht bij een meisje. Ze hebben ook met haar gepraat en zijn verhaal klopt. Volgens het meisje heeft hij de hele nacht geen telefoon aangeraakt.'
'O.' De auto lijkt opeens te krimpen, waardoor ik duizelig en benauwd word.
'En Joost was in de week van Karlijns ongeluk op vakantie. Brand heeft hem van elke verdenking uitgesloten.'
'Weet hij dat zeker?'
'Ja. Het spijt me, lieverd.'
We stoppen voor een rood stoplicht. Het voelt alsof het laatste restje energie uit me wegstroomt. Ik was er

zo van uitgegaan dat Joost schuldig was. En dat deze nachtmerrie binnen een paar dagen afgelopen zou zijn. Maar nu lijkt mijn normale leven verder weg dan ooit.
'En nu?' fluister ik.
'Brand heeft onze telefoongegevens opgevraagd. Wie weet komt daar wat uit. Maar hij verwacht dat de beller nummerblokkering heeft gebruikt. Verder kunnen ze op dit moment weinig doen, zegt hij.' Mijn moeder klinkt een beetje boos.
Ik staar uit het raam. Opeens kan iedereen me gebeld hebben. Misschien is het wel de fietser die naast onze auto wacht. Of de jongen met de leren jas die het zebrapad oversteekt. Het stoplicht springt op groen. Mijn moeder trekt op en de mensen verdwijnen.
'Het komt goed, Eva, echt, geloof me.' Haar stem is zacht. 'Je moet niet huilen.'
Ik merk nu pas dat ik huil. De tranen druppelen over mijn gezicht. Ik doe geen moeite om ze af te vegen.
'Ik heb iets voor je.' Mijn moeder haalt met één hand Karlijns dagboek uit haar tas. 'Brand heeft het doorgenomen. Volgens hem stond er niks verdachts in. Maar eigenlijk betwijfel ik of hij het wel echt heeft gelezen.' Ze glimlacht naar me.
'Dank je wel,' snuf ik. Mijn vingers sluiten zich krampachtig om Karlijns dagboek, alsof het mijn laatste restje hoop is op een goede afloop.

## Maandag 2 oktober

Nog steeds niks van Joost gehoord... Klote. Sinds onze ruzie zaterdag heb ik hem niet meer gesproken. Ergens had ik gehoopt dat hij me dit weekend zou bellen. Maar dat heeft hij niet gedaan. Dit is geen goed teken. Hou op, Karlijn! Niet piekeren, niet piekeren, niet piekeren...

## Woensdag 3 oktober

Shit, shit, shit! Waarom belt Joost niet? Zelfs geen sms...

# Zaterdag 7 oktober

Kan niet meer... Ben totaal uitgeput, vannacht bijna niet geslapen. Gistermiddag heb ik Joost ge-sms't dat ik hem miste. Het kon me niet meer schelen dat ik wanhopig overkwam. Tenslotte bén ik ook wanhopig. Hij heeft niet gereageerd...

# Maandag 9 oktober

Nu al negen dagen geen contact met Joost gehad. O God, straks heb ik niemand meer over... Sinds kort is dokter Eikman mijn beste en enige vriend. Hoeveel treuriger kan mijn leven nog worden? Mijn vader en ik brengen nu beiden zwijgend de dag op de bank door. Misschien kunnen we het spel spelen: Wie Is Er Het Slechtst Aan Toe?
Vanochtend dacht ik opeens een glimp van die enge man op straat te zien. Ik was zo moe, verdrietig en in de war dat ik geen angst voelde. Ik deed mijn slaapkamerraam open en gilde: 'Flikker op gore klootzak!' Maar toen ik beter keek, bleek het gewoon een willekeurige voorbijganger te zijn die toevallig ook een zwarte jas droeg. Hij tikte tegen zijn hoofd en riep: 'Flikker zelf op, stomme trut. Ben je gek of zo?'

# Woensdag 11 oktober

... !

Zo voel ik me. Als drie zwarte puntjes op een wit papier met een dom uitroepteken erachter. Totaal betekeningsloos. Ik weet nu zeker dat mijn leven nooit meer zal worden dan dat. Gisteren ben ik definitief opgehouden met bestaan. Ik snap niet dat ik ooit bang ben geweest voor die man uit mijn dromen. Wat hij me ook had willen aandoen, het kan nooit zo erg zijn geweest als wat me gisteren is overkomen. Was ik maar nooit geboren...

Het leek gistermiddag zo'n goed idee om na mijn afspraak met dokter Eikman even langs Joost te fietsen. Ik dacht: dit kan zo niet langer doorgaan. Ik móét hem spreken. Ik móét weten waar ik aan toe ben. Alles beter dan die rottige onzekerheid.
Bloednerveus belde ik aan. Het leek een eeuwigheid te duren voordat de deur openzwaaide en Joost verscheen. Ik hield mijn adem in en staarde hem alleen maar aan.
Zijn ogen werden groot, toen klein, en plotseling glimlachte hij. 'Jeetje, Karlijn, wat een verrassing. Wat doe jij hier?'

Ik durfde weer adem te halen. 'Ik, eh... ik was toevallig in de buurt,' stamelde ik onzeker. 'Ik stoor toch niet?'
'Hmmm, een beetje wel. Ik was aan het studeren. Maar voor jou heb ik altijd tijd. Kom binnen.' Hij sloeg een arm om mijn schouder. 'Het spijt me dat ik je nog niet heb teruggebeld. Maar ik had het zo druk. Dat begrijp je toch wel?'
Ik had kunnen zeggen: 'Nee.' Of: 'Ik wacht al elf dagen op een berichtje van je.' Maar dat deed ik niet. Ik zei: 'O, het maakt niet uit. Dat snap ik best.'
Joosts hand wreef achteloos over mijn borst. 'Zullen we naar mijn kamer gaan? Ik ben wel toe aan een beetje ontspanning.'
Als een mak schaap volgde ik hem. Joost ging op zijn bed liggen, met zijn armen onder zijn hoofd gevouwen. Ik leunde tegen de rand van zijn bureau.
'Heeft die vreemde man je nog lastiggevallen?' vroeg hij.
'Nee, gelukkig niet.'
'Zie je wel. Ik heb altijd gelijk.'
Ik knikte.
Hij grijnsde loom. 'Zeg, ik heb een goed idee. Waarom kleed je je niet uit? Dit is zo formeel, vind je ook niet?'
'O, oké.' Ik had gehoopt dat we eerst nog wat zouden praten, maar ik durfde er niks van te zeggen. Ik was allang blij dat hij me nog wilde zien.
Dus trok ik mijn kleren uit. Wat ongemakkelijk stond ik voor hem. Waarom deed hij zijn kleren niet uit? Joost keek me lange tijd aan. Ik wist niet wat ik met mijn handen, armen, hoofd moest doen.
'Draai je maar om,' zei hij ten slotte.
Ik had geen idee wat hij van plan was. Huiverend ging ik met mijn rug naar hem toe staan. Joost kwam achter me

staan en ik hoorde een rits opengaan. Zijn ademhaling ging sneller en hij duwde me tegen de muur. Wat er toen gebeurde, was afschuwelijk. Het was niet liefdevol, zacht of teder. Nee, het was hard, ruw en gevoelloos. En het deed pijn. Godzijdank was het binnen een paar minuten voorbij. Ik word nog misselijk als ik eraan denk. Ik haat mezelf nu dat ik hem zijn gang liet gaan. Maar ik wilde zo wanhopig graag dat alles weer goed was tussen ons.
Joost ritste zijn broek dicht. Lichtelijk verdwaasd draaide ik me om. Hij staarde me heel afstandelijk, zelfs een beetje ongeïnteresseerd aan.
'Je moet maar weer gaan,' zei hij kortaf. 'Sofie komt zo.'
Ik begreep hem niet en vroeg onnozel: 'Hè, wat? Sofie? Wie is dat?'
'O, had ik je dat nog niet verteld? Hmmm, stom van me.' Joost glimlachte. 'Het is uit. Ik heb een ander.'
Hij zei het niet hard, maar zijn woorden kwamen aan als kanonskogels. Mijn keel kneep dicht, zo stevig dat ik bang was dat ik zou stikken. Ik kon niks zeggen. Niks doen.
Ik stond daar maar naar lucht te happen.
'Het lijkt me duidelijk dat jij en ik niet voor elkaar gemaakt zijn,' vervolgde hij bot. 'Ik val niet op preutse vrouwen. En dat gezeik over die man en je psychose. Veel te vermoeiend. Sofie is heel anders. Veel makkelijker, zeg maar.'
Ik vond mijn stem terug en stamelde: 'Maar... we hebben net... samen... ik begrijp het niet.'
Joost grijnsde. 'Zie dat maar als je afscheidscadeautje.'
'D-dat kan je niet maken.'
'Vind je? Nou, dat is dan pech hebben.'
Ik was perplex, voelde me vernederd, afgedankt, gebruikt.

Ergens in mijn verwarde hoofd vond ik een scheldwoord.
'Hufter.'
Razendsnel bracht Joost zijn hand omhoog. En voordat ik het wist, had ik een klap in mijn gezicht te pakken. Mijn oor suisde en ik proefde bloed in mijn mond.
'Daar vroeg je om,' zei Joost kalm. 'Noem me nooit meer een hufter. Begrepen?'
Hij smeet mijn kleren naar me toe en snauwde: 'En nu oprotten. Ik heb het met je gehad.'

Ik weet niet meer hoe ik me heb aangekleed en buiten ben gekomen. Mijn wang tintelde en ik was helemaal overstuur. Ik begon als een idioot door de stad te fietsen, zonder te weten waar ik naartoe ging. Waarschijnlijk wist mijn onderbewustzijn dat wel, want plotseling stond ik voor Nouts huis. Alles in me was er opeens van overtuigd dat het zo moest zijn. Nout zou me troosten. Geruststellen. Ik ging hem eerlijk vertellen dat ik hem had gemist, en misschien bestond er wel een kans dat het weer goed zou komen tussen ons. God, wat hoopte ik dat opeens.
Ik drukte op de bel en wachtte. Nouts moeder deed open.
'Karlijn?' zei ze verbaasd. 'Wat leuk om jou weer te zien. Dat is lang geleden. Ik wist niet dat jij ook kwam.'
'O, ik was toevallig in de buurt,' mompelde ik voor de tweede keer die dag. 'Ik wilde even gedag zeggen.'
Ze glimlachte. 'Fijn dat je niet boos bent. Ik had het vreselijk jammer gevonden als dit jullie vriendschap had verpest.'
Boos? Ik begreep werkelijk niet waar ze het over had. Stom genoeg besteedde ik er verder geen aandacht aan.
'Is Nout er?' vroeg ik.

'Ja.' Ze deed een stap opzij. 'Loop maar naar boven. Je weet de weg.'
Nouts kamerdeur was gesloten. Ik zette een blij gezicht op en opende de deur, terwijl ik tegelijkertijd riep: 'Verrassing, ik ben het, Karlijn.'
In die paar seconden dat de deur openging, veranderde mijn leven voorgoed. Nout lag op bed. En Puck lag bovenop hem. In haar bh. Het was alsof er een mes in mijn buik werd gestoken dat drie keer werd rondgedraaid.
'Jezus, wat doe jij hier?' Nout krabbelde overeind en keek me verbijsterd aan.
Als een idioot antwoordde ik: 'J-je moeder liet me binnen.'
Hij sprong op en in een paar stappen stond hij voor me. Zijn overhemd hing uit zijn broek en zijn haar zat in de war. 'We wilden het je vertellen, geloof me, alsjeblieft. Maar toen werd je ziek.'
Alsof dat iets kon goed maken. 'Ik snap het niet, ik snap het niet,' stamelde ik. Ik bleef het maar herhalen.
Nout kreunde. 'Verdomme, Karlijn. Het is niet mijn schuld dat het uit is tussen ons. Ik ben niet vreemdgegaan.'
Ik deinsde achteruit. De tranen dropen over mijn gezicht.
Meteen verontschuldigde hij zich. 'Sorry, het was niet mijn bedoeling om dat te zeggen.' Hij schraapte zijn keel. 'Ik zou je nooit expres pijn willen doen. Puck heeft me getroost toen het uit was. Het klikte. We werden verliefd. Het gebeurde gewoon. Het spijt me.'
Nout raakte mijn hand aan. Er ontplofte iets in me.
'Blijf van me af,' siste ik.
Puck zat de hele tijd op het bed en zei niets. Ze keek nog niet eens naar me. Hoe had ik de vorige keer dat ik haar zag zo blind kunnen zijn? Daarom wilde ze niet over

Nout praten. Daarom deed ze zo vreemd tegen me. Misschien ging ze die middag zelfs wel naar Nout, en niet naar de kapper, zoals ze zei. Mijn beste vriendin. Hoe kón ze?
'Ik hoop dat we vrienden kunnen blijven.' Nout probeerde tegen me te glimlachen.
'Rot toch op...' Mijn stem brak. Ik walgde van Nout. Van Puck. Van mezelf. Kotsmisselijk was ik van alles. Ik moest weg, voordat ik in zijn kamer ging overgeven. Ik draaide me om en rende naar de trap.
Ik hoorde Nout nog roepen: 'Karlijn, wacht even.'
Maar blijkbaar vond hij het niet nodig om achter me aan te gaan. Godzijdank ging ik buiten pas over mijn nek.

Ik weet niet meer precies hoe ik thuis ben gekomen en wat ik gistermiddag verder heb gedaan. Alles is één grote waas van tranen geworden. Kon het maar afgelopen zijn. Die fuckzooi die ze leven noemen. Voor mij hoeft het niet meer. Wat heb ik nog over om voor te leven? Het kan...

Dat was mijn vader die kwam zeggen dat hij even een boodschapje ging doen. Godzijdank kwam hij niet binnen. En godzijdank is mama een uur geleden ook vertrokken. Eindelijk alleen. Ga in bed liggen. En ik wil er nooit meer uitkomen. Voor niks en voor niemand.
Ik kan niet meer.
Ik wil niet meer.

# Dinsdag 31 oktober 16.30 uur

Met een nare smaak in mijn mond sla ik Karlijns dagboek dicht. Wat een vreselijk einde. Ze is doodgegaan met het idee dat niemand van haar hield. Ik kan me slechts een vage voorstelling maken van de hel die ze heeft doorgemaakt. Waarom is ze in godsnaam die middag nog gaan fietsen? Ik heb geen idee. Was ze maar in bed blijven liggen, zoals ze had geschreven. Dan had ze nu nog geleefd. Ik zou wel dwars door alle bladzijdes willen schreeuwen: blijf thuis, Karlijn! Niet weggaan! Het loopt niet goed af!
Ik schud mijn hoofd, vol met vragen. Joost had haar geslagen. Zou hij daarom tegen me hebben gelogen? Omdat hij niet wilde dat ik erachter zou komen? Waarschijnlijk wel, besef ik nu. En dan Nout. Ik was hem bijna vergeten. En opeens verschijnt hij weer op de allerlaatste bladzijde van haar dagboek met de afschuwelijkste actie ooit. Hij is ook niet eerlijk tegen me geweest. Plotseling begrijp ik wat de afkorting PP in zijn agenda betekende: Puck Postuma. Ik heb alle stiekeme afspraakjes met Puck in zijn agenda zien staan zonder de link te leggen. Daarvoor was Nouts optreden als gekwetste, verdrietige exvriend te overtuigend. Wat een klootzak. Maar maakt dat van hem een moordenaar? Ik kan het me niet voorstellen.

Een afschuwelijke gedachte begint zich te vormen in mijn hoofd. Karlijn zou toch niet zelf onder dat busje zijn gereden? Als een soort hysterische wanhoopsdaad? De rillingen lopen me over de rug. Nee, het klopt niet. Als het zelfmoord zou zijn, waarom word ik dan bedreigd? Dat is niet logisch. Mijn hoofd barst bijna uit elkaar van alle net-niet-theorieën. Ik ben mijn angst en radeloosheid van vanmiddag helemaal vergeten. Ik ben zó dicht bij de oplossing. Voor mijn gevoel mist er nog één stukje van de puzzel. Alleen heb ik geen idee waar ik dat moet zoeken.
Dan krijg ik plotseling een idee: Steven. Als iemand me kan helpen met alles op een rijtje te zetten, dan is hij het wel. Dit kan niet wachten tot onze afspraak van donderdag. Daar is het te belangrijk voor. Ik moet hem meteen spreken. Met trillende handen pak ik mijn mobiel en toets zijn nummer in. Ik krijg zijn voicemail. Natuurlijk kan hij niet opnemen, bedenk ik me plotsklaps, hij is aan het werk in De Toog. Teleurgesteld hang ik op. Wat moet ik nu? Wachten totdat hij klaar is met werken? Maar ik kan niet wachten, niet nu ik zo dicht bij de oplossing ben. Ik moet hem nu zien. Ik moet naar De Toog. De beslissing voelt als een enorme opluchting. Ik gris mijn tas van het bureau en sluip de trap af. In de huiskamer zit mijn moeder. Ze mag me niet horen. Anders kan ik dit plan wel vergeten. Ze zou me nooit alleen naar Steven laten gaan. En ik wil per se niet dat ze me naar De Toog brengt. Steven ziet me al aankomen aan mijn moeders hand. Op mijn tenen loop ik door de gang. Voorzichtig trek ik de voordeur open en glip naar buiten. Gelukt! Ik spring op mijn fiets en rijd weg. Ik ben niet bang dat ik word gevolgd. Geen seconde. Mis-

schien is het dom, maar ik ben niet bang. Ik ben juist blij dat ik eindelijk iets doe.

Ik struikel bijna over mijn voeten als ik De Toog binnenren, zo veel haast heb ik om Steven te spreken. Het is dan ook een grote teleurstelling dat hij niet achter de bar staat, maar een andere jongen.
'Sorry,' zeg ik tegen hem. 'Zou je Steven willen roepen? Het is dringend. Een noodgeval.'
'Steven?' antwoordt de jongen verbaasd, terwijl hij glazen spoelt. 'Die is er niet.'
Ik buig me voorover. 'Hè? Hij moest vandaag toch werken?'
'Klopt. Maar hij had hoofdpijn. Ik val voor hem in.'
'O.' Ben ik helemaal hiernaartoe gekomen om dit te horen? Ik bijt op mijn lip en weet niet wat ik moet zeggen. Waarschijnlijk krijgt de jongen medelijden met me, want hij zegt: 'Hè, niet zo sip kijken. Anders ga je toch even bij hem langs? Hij woont hier vlakbij. Wacht, ik schrijf het adres voor je op.'
'Eh... graag.' Mijn moedeloosheid ebt weg en maakt plaats voor opwinding. Eigenlijk is dit nog veel beter! Bij Steven thuis hebben we alle rust om te praten.
De jongen geeft me een bierviltje met de straat en het huisnummer: Baarsstraat 2.
'Je moet aan het eind van de Overtoom naar links, bij de Albert Heijn naar rechts, en dan weer de eerste straat links,' beschrijft hij de route. 'Steven woont antikraak in het oude schoolgebouw. Kan niet missen.'
'Links, rechts, links,' herhaal ik, terwijl ik naar de deur loop. Ik sta al bijna buiten, als hij nog roept: 'Wens hem maar beterschap.'

Ik knik en mompel gedag. Zo snel als ik kan fiets ik over de Overtoom, langs de Amstelveenseweg. Ik negeer een rood stoplicht, stuur naar rechts en schiet een paar honderd meter verder de Baarsstraat in. Mijn ogen glijden langs de huisnummers. 62, 60, 58, ik trap nog wat harder. Aan het eind van de straat, in een hofje, staat een vervallen gebouw. 'Amsterdams Gymnasium' lees ik op de bakstenen gevel. Dit moet het zijn. Ik rem en gooi mijn fiets tegen een boom. Hijgend loop ik naar de deur. Er hangt geen naambordje. Weifelend druk ik op de bel. Een harde zoemer klinkt binnen in het gebouw. Niets. Ik bel nogmaals en wacht een halve minuut. De deur blijft dicht. Shit, wat nu? Ik buk en roep door de brievenbus: 'Steven. Ik ben het. Eva.' Mijn stem galmt, maar verder zijn er geen andere geluiden. Gefrustreerd pak ik mijn mobiel en bel Stevens nummer. Weer krijg ik zijn voicemail. De tranen branden achter mijn ogen. Waarom doet hij niet open?
Ik sta op het punt naar huis te gaan, als ik opeens iets hoor. Muziek. Het is heel zacht en ver weg, en het lijkt ergens van achter het gebouw te komen. Zou Steven daar zijn? Ik besluit een kijkje te gaan nemen en volg het stenen paadje dat langs de zijkant van de school loopt. Tot mijn verbazing kom ik in een grote tuin uit. Zo te zien is er hier al heel lang geen tuinman meer geweest: het gras groeit tot mijn knieën en ik moet oppassen voor de brandnetels. De muziek komt van links. Zoekend kijk ik om me heen. Dan ontdek ik het stenen gebouwtje, verstopt tussen de bomen en het dichte struikgewas. Ik hol door het gras. Bij elke stap wordt de muziek duidelijker. *Hotel California* van The Eagles, herken ik als ik op de stoep van het huisje sta.

Maar waar is de ingang? Aan de andere kant vind ik een grote, houten deur die uitkomt op een oprijlaan. Waarschijnlijk is dit gebouwtje vroeger een schuur geweest, of een garage.
'Hallo? Steven?' Ik druk mijn neus tegen het raampje naast de deur, maar ik zie alleen wat vage vormen in het donkere huisje. 'Steven? Ben je daar?' probeer ik nog eens. The Eagles zingen nu: *'Last thing I remember, was running for the door. I had to find the passage back to the place I was before.'* Dit gaat niet werken, realiseer ik me. Ik kom nooit boven het volume uit. Ik duw tegen de deur, die tot mijn verbazing meegeeft. Voorzichtig loop ik naar binnen. Mijn ogen moeten wennen aan het schemerduister. De ruimte is tot het dak aan toe volgestouwd met rommel. Ik zie schoolbanken, stoelen, boeken, een basketbalkorf.
'Steven?' roep ik nogmaals. Geen antwoord. De muziek lijkt van boven te komen. Nu moet ik alleen nog een trap vinden in deze rotzooi. Ik wurm mezelf tussen een stapel dozen en een groot gevaarte dat is afgedekt met een plastic zeil. Half op de tast loop ik verder. Daardoor zie ik niet dat mijn voet achter een punt van het zeil blijft steken. Ik struikel en val, het zeil met me meetrekkend. Mopperend klop ik het stof en gruis van mijn broek. En dan zie ik wat het zeil heeft afgedekt: een bestelbusje. Het zit onder de modder, maar de kleur is onmiskenbaar wit.
Ik voel mijn hart stilstaan. Een wit busje. Karlijn was met een wit busje aangereden. Maar er zijn zoveel witte busjes. Dit hoeft niks te betekenen. Ergens in mijn achterhoofd zegt een stemmetje: misschien kan je beter weggaan. Maar dat doe ik niet. Ik open het portier, ga

op de bestuurderstoel zitten en knip het lampje van de achteruitkijkspiegel aan.
Alle lucht ontsnapt uit mijn longen. Overal hangen foto's van Karlijn. Op het dashboard, aan de portieren, tegen het dak. Ik zie Karlijn voor school staan roken. Ik zie Karlijn op straat met haar vader. Ik zie Karlijn in bed terwijl ze slaapt. Ik zie verdomme heel Karlijns leven in wazige, waarschijnlijk stiekem genomen foto's. Sommige kiekjes zijn doormidden gescheurd, op andere foto's staan scheldwoorden geschreven. Trut, hoer, kutwijf.
Ik kokhals en druk mijn hand voor mijn mond. Maar ik kan het niet meer tegenhouden. Op de bijrijderstoel geef ik over. In grote, bittere golven, totdat er niks meer in mijn maag zit. Ik hap naar adem en ga trillend rechtop zitten. Het braaksel kleeft aan mijn spijkerboek en klontert in mijn haren. Ik snap het niet. Of misschien wil ik het wel niet snappen. Is Steven hiervoor verantwoordelijk? Mijn Steven? Die zo lief voor me was? En die ik blind vertrouwde?
Opeens houdt de muziek op. Ik hoor iets kraken. Verschrikt kijk ik over mijn schouder. Steven staat achter me. Zijn gezichtsuitdrukking, koud en hard, zegt me dat het waar is: Steven ís hiervoor verantwoordelijk. Ik zit doodstil. Ik verroer me niet. Wezenloos staar ik hem aan. Steven knijpt zijn ogen samen. Plotseling snauwt hij: 'Wat doe jíj hier?'
Zijn stem brengt me bij mijn positieven. Ik krabbel uit het busje. Steven staat heel dicht bij me. Ik doe een stap naar achteren. Steven doet een stap naar voren. Ik voel het koude metaal van het bestelbusje tegen mijn rug prikken en kan geen kant meer uit.

'De aanhouder wint, zullen we maar zeggen. Tevreden dat je nu eindelijk alles weet?' vraagt hij kil.
'Laat me gaan,' zeg ik hijgend. 'Ik zal niemand wat vertellen.'
'Dat geloof je zelf toch niet? Doe niet zo dom.' Steven zet zijn handen aan beide kanten van mijn hoofd tegen het busje. 'Jezus, je stinkt. Ik mag hopen dat ik die smerige kots van je nog uit mijn bekleding krijg.'
'Help!' begin ik in het wilde weg te schreeuwen. 'Help! Laat iemand me alsjeblieft helpen!'
'Het heeft geen zin, Eva. Niemand hoort je hier.' Steven slaat met zijn vlakke hand tegen het metaal. 'Godverdomme, waarom ben je hier naartoe gekomen?'
'I-ik had... w-wilde j-je... h-het,' stotter ik. De paniek heeft mijn keel dichtgeknepen. Ik adem diep in. Ik moet rustig worden. Nadenken. Tijd winnen.
'I-ik miste je,' zeg ik met een iets vastere stem. 'En ik wilde je graag zien.' Zou dit helpen? Op zijn gevoel inpraten?
Hij lacht schamper. 'We kunnen nu wel kappen met die onzin, vind je ook niet? Denk je echt dat ik verliefd op je was? Ik val niet op de afgedankte vriendinnetjes van Karlijn.'
Ik knipper met mijn ogen en probeer niet te huilen. Wat had ik dan gedacht? Dat hij me in zijn armen zou nemen?
'Waarom heb je zo'n hekel aan Karlijn?' vraag ik zacht.
'Haar pa heeft mijn vader vermoord,' spuwt hij zowat in mijn gezicht.
'Hè? Vermoord?' Ik ben bang dat ik hem niet goed heb verstaan en schud verbijsterd mijn hoofd.
'Ja, vermoord. Of dood door schuld. Maakt dat enig verschil?'

Ik voel me weer misselijk worden. 'Ik snap het niet.'
Steven zwijgt even. Er schiet een flits van pijn door zijn ogen, maar zijn stem klinkt toonloos als hij zegt: 'Karlijns vader reed in de auto die mijn pa heeft geschept toen hij veertien jaar geleden nietsvermoedend de weg overstak. Hij was op slag dood. Karlijns vader heeft de politie wijsgemaakt dat hij er niks aan kon doen. En ze geloofden hem. Volgens die kutagenten was het een ongelukkige samenloop van omstandigheden.' Hij slaat nog een keer met zijn hand tegen het busje. 'Nou, dat was het zeker. Dat fuckongeluk heeft mijn hele leven verwoest.'
De puzzel valt in mijn hoofd in elkaar en er gaat een schok door mijn lichaam. Alle puzzelstukjes zijn al die tijd gewoon voor het oprapen geweest. Ik heb ze alleen niet gezien. Zo heb ik ooit in Karlijns dagboek iets gelezen over een ongeluk waar haar vader bij betrokken was geweest. Het was een van de oorzaken van zijn depressie, als ik het me goed herinner. En Karlijn heeft vroeger in Schiedam gewoond en Steven in Rotterdam... Jezus, waarom heb ik daar niet eerder aan gedacht?
'Nee. O, nee, nee, nee. Dit kan niet waar zijn,' stamel ik.
'Bedankt voor je medeleven,' zegt hij spottend.
'Maar, maar... Het ongeluk is toch niet Karlijns schuld?'
'Schuld?' bijt Steven me toe. 'Wie heeft het hier over schuld? Laat me even duidelijk zijn. Het gaat hier om gerechtigheid. Karlijn heeft godverdomme de jeugd gehad die mij is ontnomen. Zal ik je eens wat vertellen?'
Hij buigt zich naar me toe. Zijn gezicht is nu zo dichtbij dat ik zijn ademhaling tegen mijn wang voel. 'Zal ik je eens wat vertellen?' herhaalt Steven. 'Mijn jeugd is één grote klerezooi geworden. Na mijn vaders dood is mijn

moeder gaan drinken. Echt leuker werd het daar thuis niet van. Ze vergat gewoon dat ik bestond. Soms kreeg ik dagen geen eten. Uiteindelijk ben ik op mijn achtste uit huis geplaatst. Ik heb bij tientallen pleeggezinnen gewoond, het een nog erger dan het ander. En al die tijd kon ik maar aan één ding denken: ooit, ooit, ooit zou ik Karlijn laten voelen hoe het is om alles kwijt te raken.'
Steven sluit even zijn ogen. In het schemerige licht ziet hij er moe en afgetobd uit. Ergens diep vanbinnen voel ik plotseling een sprankje medelijden met dat arme, kleine jongetje dat zonder vader en moeder is opgegroeid.
'Hoe heb je het gedaan?' vraag ik.
'Wat?'
'Hoe heb je Karlijns leven zo kunnen kapotmaken?'
'O, dat was een kwestie van alles zorgvuldig voorbereiden,' antwoordt hij onverschillig. 'Allereerst ging ik in Amsterdam studeren omdat Karlijn er woonde. De hele zomer heb ik haar in de gaten gehouden. Ik wist welke kleren ze droeg, waar ze uitging, hoe vaak ze haar vriendje zag, in welk café ze werkte. Aan de buitenkant leek haar leven zo volmaakt. Kotsmisselijk werd ik ervan. Ik moest haar zwakke plek vinden. Daarom heb ik tijdens hun vakantie ingebroken. Het was zo makkelijk. In Karlijns dagboeken las ik wie ze écht was. Onder dat perfecte laagje vernis zat een onzeker meisje met faalangst die soms behoorlijk met zichzelf overhoop lag. En ik las ook over haar terugkerende nachtmerrie. Ik kon tussen de regels door haar angst voor die droom voelen. Ik wist meteen hoe ik het ging doen. Ik hoefde alleen nog maar de reservesleutel te jatten die in het keukenlaatje lag.'

Steven glimlacht. 'Ik heb een baantje in De Toog gezocht en om dezelfde bardiensten als Karlijn gevraagd. Zo kon ik steeds wat slaapmiddel in haar drankje doen. Niet te veel, maar net genoeg om haar 's nachts onder zeil te houden als ik in haar kamer was. Het werkte geweldig. Ik deed mijn kunstje en zag haar in bed zweten, woelen, en soms zelfs huilen... Maar ze werd nooit wakker voordat ik was weggeglipt. Toen ze stopte met haar werk bij De Toog, ben ik haar gaan volgen.'
Hij zwijgt en er valt een lange stilte. Ik heb zin om te huilen en te schreeuwen en hem in zijn gezicht te slaan. Maar ik moet nog één ding weten. 'Heb jij... was het jouw busje... heb je Karlijn doodgereden? Of was het een ongeluk?'
'Het was géén ongeluk,' zegt Steven koud.
Mijn armen vallen langs mijn lichaam alsof ze niet van mij zijn. Het kleine beetje medelijden dat ik voelde, is op slag verdwenen.
'Ik heb dagen voor Karlijns huis gewacht op het goede moment,' praat hij door. 'Die woensdag zag ik eerst haar moeder weggaan, en toen haar vader. Twintig minuten later heb ik naar hun huisnummer gebeld. Karlijn geloofde meteen dat ik van de politie was. En dat haar vader een ongeluk had gehad op de kruising tussen de Overtoom en de Constantijn Huygensstraat. Ik heb het een beetje aangedikt door te zeggen dat hij stervende was. Ze werd hysterisch en zei dat ze eraan kwam. Daarna was het slechts een kwestie van gas geven, heel hard wegrijden en valse nummerborden gebruiken.'
Steven knijpt zijn ogen samen. 'Alles ging eigenlijk goed, totdat jij opeens aan mijn bar met die Joost zat te babbelen. Het buurmeisje van Karlijn dat de boel niet

vertrouwde. Ik dacht dat ik gek werd. Ik heb je een cola light met wat slaapmiddel gegeven. Ik wilde je die avond bang maken en afschrikken met dat briefje. Maar ik heb je verkeerd ingeschat. Je bleef maar de irritante wijsneus uithangen. Gelukkig was je zo naïef om verliefd op me te worden. Op die manier wist ik precies wat je uitspookte, en kon ik je waar nodig wat bijsturen.'
Ik kijk naar Steven, naar zijn gezicht in het zwakke licht van buiten. Hol, bleek, verwrongen, boosaardig. Ik kan me totaal niet meer voorstellen dat ik hem ooit leuk heb gevonden.
'Klootzak,' zeg ik.
Hij grijnst. 'Wat een mooie laatste woorden. Het is tijd om afscheid te nemen, Eva. Je weet te veel. Je moet dood.'
Al mijn spieren verkrampen. Ik wil niet dood. Ik moet dit overleven. 'De barman uit De Toog weet dat ik hier ben,' probeer ik koortsachtig.
Steven zucht. 'O, tegen de tijd dat ze jou gaan zoeken, is alles hier allang opgeruimd. Ik zal zeggen dat je hier nooit bent geweest.'
'Wacht. Steven... K-kunnen we er niet over praten?'
'Praten? Dit is de godvergeten *Oprah Winfrey Show* niet.' Hij haalt iets uit de zak van zijn capuchonvest. Een theedoek. Een scherpe, prikkende lucht dringt mijn neusgaten binnen.
'W-wat is dat?' vraag ik angstig.
'Een beetje chloroform. Toen ik je beneden hoorde rommelen, heb ik wat voorzorgsmaatregelen genomen. Ik vond dit goedje in een doos met oude scheikundespullen. Handig, niet, zo'n rommelzolder?' Hij grijnst even.

'Je gaat hier lekker van slapen. En dan merk je niks van de dingen die ik daarna doe.' Steven drukt me met zijn lichaam tegen het busje en klemt mijn gezicht tussen zijn vingers.
'Laat me los!' gil ik.
'Ssst, je moet niet zo veel praten. Het doet geen pijn, dat beloof ik,' mompelt Steven. Hij drukt de theedoek tegen mijn neus en mond. 'Adem maar in. Wie weet wacht Karlijn je straks wel op. Is dat geen mooi idee?'
Ik stik haast in de stof. De theedoek schuurt tegen mijn wangen, prikt in mijn neus. Niet ademhalen, niet ademhalen, niet ademhalen, denk ik. Ik trap wild om me heen, maai met mijn armen, maar Steven ontwijkt alles. Mijn longen knappen bijna van het zuurstofgebrek. Maar ik mag niet ademhalen. Ik zie flitsen rood en zwarte vlekken. Elke vezel in mijn lichaam smeekt om zuurstof.
'Schiet eens op, stomme trut,' snauwt Steven. 'Misschien gaat het zo wat sneller.' Hij duwt zijn knie hard in mijn maag. Ik klap dubbel van de pijn en hap naar adem. Bijna meteen begint alles te draaien. Ik zie Karlijn. Mijn moeder. Het gezicht van mijn vader. En ik hoor iemand mijn naam schreeuwen. Dan wordt het stil. En zwart.

# Een paar maanden later

Dankzij Hanna leef ik nog. Is dat niet bizar? Uitgerekend Hanna, die ik zo heb laten vallen, heeft mijn leven gered. 'Ik voelde me die dag zo rot over onze ruzie,' heeft ze me uitgelegd. 'Het was nooit mijn bedoeling geweest om een punt achter onze vriendschap te zetten. Marjolein floepte het er zomaar uit. Ik moest je even alleen spreken. Daarom ben ik die middag naar je huis gefietst. Maar je reed net weg toen ik daar aankwam.'
Hanna heeft mijn naam geroepen, maar ik heb haar niet gehoord. Ze is me achterna gefietst. 'Je had zo'n haast, ik kon je amper bijhouden. Ik wilde het net opgeven, toen je plotseling voor De Toog remde en daar naar binnen ging. Opeens werd ik ook een beetje nieuwsgierig. Ik bedoel, wat dééd je in dat café op een dinsdagmiddag?'
Hanna is blijven wachten. Toen ik een paar minuten later weer naar buiten kwam en als een dolle wegreed, op weg naar Steven, besloot ze me te gaan volgen. 'Ik wist niet of het verstandig was, maar ik móést gewoon weten wat je aan het uitspoken was. Je deed zo vreemd.'
Ergens bij de Albert Heijn is ze me kwijtgeraakt. Gelukkig is ze blijven doorzoeken, totdat ze aan het eind van de Baarsstraat uiteindelijk mijn fiets vond. 'Toen begreep ik er echt niks meer van. Wat deed je in vredes-

naam bij die oude school?' Ze heeft eerst door de ramen van de school gegluurd. Maar het zag er binnen donker en verlaten uit. Hanna wilde naar huis gaan, toen ze plotseling op het paadje naast het gebouw mijn agenda zag liggen. Blijkbaar was die uit mijn tas gevallen zonder dat ik het had gemerkt.

'Ik ben over het paadje gelopen en kwam in die gekke tuin uit. Door het lange gras liep een platgetrapt spoor dat ik ben gaan volgen. Ik schrok me helemaal dood toen ik opeens jouw stem uit dat huisje om hulp hoorde roepen.' Ze heeft meteen de politie gebeld. Met haar oor tegen de deur heeft ze daarna het gesprek tussen Steven en mij afgeluisterd. Op het moment dat Steven riep dat ik dood moest, heeft ze al haar angst opzij gezet en is ze naar binnen geslopen.

'Het was afschuwelijk. Steven hield je in een houdgreep met die doek voor je gezicht. Ik was zo bang, wist niet wat ik moest doen. Opeens viel je slap voorover in zijn armen. Ik dacht: hij vermoordt je, nu, ter plekke, waar ik bij sta. Daarna ging alles zo snel. Voordat ik het wist had ik een oude honkbalknuppel uit de rommel gepakt en haalde ik uit naar Stevens hoofd. Hij zakte ineen en jij viel bovenop hem. Ik heb je aan je armen weggesleept, zo ver mogelijk bij hem vandaan. Je reageerde niet toen ik je naam riep en ik was zo bang dat ik je kwijt was. Godzijdank kwam je na een paar minuten weer bij. Maar het zijn de langste minuten uit mijn leven geweest.'

Ik zal nooit de intense blijdschap vergeten die ik voelde toen ik Hanna's gezicht daar in het huisje zag. Ik begreep dat ik nog leefde, niet dood was. Samen hebben we op de politie gewacht. Het heeft nog weken geduurd voordat ik Hanna mijn kant van het verhaal heb verteld. Ik durfde gewoon niet binnen in mezelf te kijken. Maar toen ik eenmaal was begonnen, heb ik haar ook alles verteld. Over Karlijn. Mijn vader. Over mijn schuldgevoelens. Ik bleef maar praten, en Hanna bleef maar luisteren. Toen ik bij onze vriendschap aankwam, zei ik dat ik me zo vreselijk schuldig voelde. Zij antwoordde dat het onzin was. En dat ik nu toch wel moest snappen dat schuld nergens toe leidde. Ik zei dat ik van haar hield. Zij antwoordde dat ze ook van mij hield. Soms lijkt het alsof ik haar in de afgelopen maanden pas echt heb leren kennen.

Hanna vroeg laatst of ik Karlijn nog miste. Natuurlijk mis ik haar. Ik mis haar zoals je een goede vriendin van vroeger mist. De logeerpartijtjes, het hand in hand naar school lopen, de vakanties; dat alles wil ik nooit vergeten. Karlijns dagboeken heb ik in een mooi kistje gedaan. Ik zal ze altijd bewaren. Maar ik ga ze niet meer lezen. Het is niet goed om je blind te staren op het verleden. Daardoor zie je de dingen over het hoofd die je wél hebt.

Op een gekke manier heeft Steven me dat ook duidelijk gemaakt. Hij leefde alleen met zijn herinneringen. Met de wraak, de wanhoop, het verdriet. Hij was volslagen de weg kwijt. Je zou denken dat ik hem haat. Maar dat doe ik niet. Haat is net zoiets als schuldgevoel, het leidt nergens toe. En daarbij, Steven heeft zijn verdiende loon gekregen: tien jaar cel en tbs. Voor hem is het voorbij. Gelukkig heb ik nog wel een tweede kans gekregen.

Genoten van *Buiten zinnen?*
Lees dan ook *Verblind* en *Uitgespeeld* van
Mel Wallis de Vries

## De pers over *Verblind*

'Een vlot geschreven verhaal met alle benodigde ingrediënten voor een thriller.' – *Vrouw.nl*

'Een thriller om van te trillen en te shaken.' – *Girlz*

'Een zeer vlot, en realistisch verhaal dat erg van deze tijd is... Spannend tot op de laatste bladzijde.' – *Telegraaf*

'Als je eenmaal bent begonnen met lezen, kan je niet meer stoppen! [...] een aanrader voor iedereen die van spannende boeken houdt!' – *Kidsweek.nl*

'*Verblind* is een ontzettend spannend boek en een echte pageturner... In een adem lees je het boek uit.' – *boekreviews.nl*

'Mel Wallis de Vries is een rijzende ster in de wereld van de jeugdboeken.' – *De Gelderlander*

## De pers over *Uitgespeeld*

'IJzingwekkend spannend tot de allerlaatste bladzijde.' – *Fancy*

'Een thriller om lekker bij te griezelen.' – *Kidsweek*

'In opzet en uitwerking profileert de auteur zich als de Nicci French van de jeugdliteratuur.' – *Nederlandse Bibliotheek Dienst*

'Een ware thriller die voor zowel jongens áls meisjes boeiend is.' – *Brabants Dagblad*